GANDHI

Cultivar el corazón

Enseñanzas sobre la No Violencia, la Verdad y el Amor Incondicional

Selección, traducción y notas
Miguel Grinberg

Deva's

Cultivar el corazón

© Deva's de Longseller S.A. 2003

Traducción: Miguel Grinberg
Ilustración de portada: Enrique Melantoni
Diseño portada: Javier Saboredo (A&E Longseller)
Corrección: Cristina Cambareri (A&E Longseller)

Deva's es un sello de Longseller

Casa matriz: Avda. San Juan 777
(C1147AAF) Buenos Aires - República Argentina
Internet: www.longseller.com.ar
E-mail: ventas@longseller.com.ar

291.4   Gandhi
GAN   Cultivar el corazón / compilado por Miguel Grinberg.-
         1ª ed.; 1ª reimp.- Buenos Aires : Deva's, 2003.
         224 p.; 20x13cm.- (Inspiración)

         Traducción de: Miguel Grinberg

         ISBN 987-20322-2-X

         I. Grinberg, Miguel, comp. II. Título.- 1. Espiritualidad

Queda hecho el depósito que marca la ley 11.723

Impreso y hecho en la Argentina
Printed in Argentina

Esta edición de 3000 ejemplares se terminó de
imprimir en los talleres de Longseller en Buenos Aires,
República Argentina, en octubre de 2003.

Gandhi sostenía que la espiritualidad no consiste apenas en recitar las escrituras o transitar sin cesar los debates abstractos, sino en **cultivar el corazón**, *lo cual —insistía— requiere una fortaleza inconmensurable. Porque la intrepidez es el requisito inicial de la espiritualidad, su acta de nacimiento, su entrega sin retorno.*

Introducción

La Profecía y el Desafío

*"Vendrán generaciones, puede ser, que difícilmente
crean que un hombre como este caminó alguna vez
en carne y hueso sobre la tierra."*

—Albert Einstein

Mohandas Karamchand Gandhi (1869-1948)
no sólo llevó los principios de la no violencia
(**ahimsa**) a su mayor expresión dinámica, sino que la
expandió hacia el sostenimiento de la verdad (**satyagraha**, resistencia a la ignominia sin recurrir a la
agresión) mediante recursos de elevado contenido vi-
vencial. Ambos términos aparecen en todo su activismo político-espiritual enfocado en la lucha contra
el dominador británico de la India. Sus alocuciones,
escritos y plegarias los invocan sin cesar, como parte
de una visión transformadora de la realidad individual y social. En sánscrito, **sathya** significa "verdad",
y toda la existencia de Gandhi fue una batalla por la
conquista de la verdad.

Hacia 1947, en vísperas de la independencia de la India —gestada, encarnada y universalizada por Gandhi sobre la base de postulados no violentos, lo cual le valió el calificativo de **Mahatma** ("alma grande" o "magnánimo")—, los poderes de la Gran Bretaña en retirada impulsaron una partición territorial entre hindúes y musulmanes. La violencia irracional inmediata desembocó en el asesinato del Mahatma, maestro de sabiduría y compasión.

Los historiadores suelen cristalizar la cáscara de los grandes hombres en torno de alguna de sus obras cruciales, y dejan traspapelada la pulpa de su existencia integral como si apenas importara: Gandhi no se salvó de semejante escamoteo.

Se lo reconoce como político y estratega partidario del activismo sin violencia para conquistar la independencia de su patria, dominada por el Imperio Británico durante la primera parte del siglo XX. Pero su influjo intemporal como sembrador espiritual, activista visionario y paladín ético no ha merecido una apreciación análoga.

Tanto sus compatriotas de la India actual nuclearizada y propensa a una guerra total con Pakistán, como quienes tienen debilidad por las rutinas imperiales, prefieren inmovilizarlo en el bronce y pasan por alto su dimensión de arquetipo revolucionario inclasificable en las ideologías dominantes. Como era un individuo religioso ajeno a los mitos del capitalismo y del comunismo, se lo confinó en un mausoleo, como efigie, a fin de atenuar su desafiante e incómoda estatura humana.

Abogado de profesión, formado en Londres, vivió y trabajó a fines del siglo XIX, durante dos décadas, en África del Sur, donde ensayó sus primeros pasos del activismo político anti-totalitario. Allí, la máxima autoridad era el general y filósofo Jan Christian Smuts —padre del pensamiento holístico—, y durante los habituales arrestos del militante hindú, todo derivaba en grandes debates entre carcelero y prisionero, sobre filosofía en general y poesía en particular (especialmente Walt Whitman). Algún día habrá que rastrear las semillas dejadas por Gandhi en el mundo del *apartheid* racista sudafricano, especialmente en el activismo que acabó con ese régimen explotador y desembocó en la reivindicación del máximo exponente de la resistencia negra: Nelson Mandela.

Tenía cuarenta y cinco años cuando regresó a la India, con su esposa y cuatro hijos, en enero de 1905. Pasó a estudiar la problemática de los obreros hindúes explotados en las factorías y de los trabajadores rurales avasallados por los abusos de los grandes terratenientes.

Vivía en un país de raíces milenarias, sometido a través de las eras por muchos conquistadores. El umbral de la Era Védica se remontaba a dos mil años antes de Cristo, cuando se produjeron invasiones de pueblos seminómadas indo-europeos identificados como "**aryas**" (nobles o señores): de allí proviene el equívoco calificativo "ario". Los gobernaban reyes hereditarios que estructuraron la sociedad sobre tres categorías irreductibles: los **brahmanes** (sacerdotes), los **chatrias** (guerreros) y los **vaisias** (plebeyos). La liturgia de los himnos védicos preserva nítidamente aquellas epopeyas. Los aborígenes del país se llamaban **dasius** y terminaron insertándose entre los conquistadores como **sudras** (trabajadores). El dios más popular era Indra, monarca de la lluvia y las tormentas, y su rival era Varuna, dios del sol y el firmamento.

A ese ciclo le siguió un amplio período budista tras la coronación del rey Asoka en el año 259 a. C., hasta que se produjo una oleada conquistadora mahometana que subyugó a los principados indios a partir del 961 de la era cristiana. Las luchas de los sultanes se prolongaron durante siglos, matizados por ofensivas incontrolables de las tribus mongoles, con el Indostán, Bengala y Afganistán como botines de guerra rotativos. Y a partir del 1600, con la aparición en escena de la Compañía de las Indias Occidentales de Londres, comenzó una puja de los británicos, portugueses, franceses y holandeses para el reparto imperial del vasto subcontinente indio.

Gandhi —hijo de un oficial de la corte del pequeño principado de Porbandar— nació en un mundo tradicionalmente dividido, en el seno de la casta **vaisia**, la tercera en el orden jerárquico hindú, con ciertos privilegios (como el acceso a estudios superiores en la metrópolis inglesa), situada por encima de los **sudras**, y mucho más arriba de los descastados llamados **intocables**, quienes por ser "proscriptos" y carentes de derechos asumían las tareas más degradadas de la sociedad, como la limpieza de letrinas.

La otra división era religiosa: la mayoría adhería a diversas sectas del panteón hindú; el segundo grupo en importancia lo constituían los musulmanes, seguidos por los budistas fieles a las enseñanzas del principe Siddharta Gautama (563-483 a. C.). Finalmente, estaban los cristianos convertidos merced a la obra misionera de san Francisco Javier (jesuita español que inició su obra evangélica en 1542 en la India portuguesa); antiguas comunidades de judíos; parsis provenientes de Persia, adoradores del fuego; y miembros del sikhismo, monoteísmo ético que fusiona elementos del hinduismo y el Islam, fundado por Nanak (1469-1539), místico para quien Dios trascendía todas las distinciones religiosas.

El 13 de abril de 1919 se recuerda en la India como el día de la masacre de Amristar, ciudad sagrada de los sikhs, donde el brigadier general británico Reginald Dyer ordenó disparar a mansalva sobre una manifestación desarmada: la represión dejó 369 muertos y más de 1.200 heridos. En esos momentos, Gandhi combatía la exportación de obreros hindúes hacia Sudáfrica, y bregaba por los derechos laborales de los cosechadores migrantes, los trabajadores algodoneros y los pequeños agricultores. Ante esa represión, sintió en su alma un llamado inequívoco a la lucha política frontal, y explicó: "Tuve fe en los británicos hasta 1919, pero la masacre de Amristar y otras atrocidades en el Punjab cambiaron mi corazón". Devolvió de inmediato dos medallas que había recibido de los ingleses durante la Primera Guerra Mundial (trabajó en los servicios de ambulancias), asumió el liderazgo del Movimiento Nacionalista Hindú y lo sintetizó todo en una frase: "Tienen que irse de la India". El resto es historia.

...dhi, como líder nacionalista y re-
...cibió un primer impulso ideoló-
...bre manifiesto "**Desobediencia**
...ctivista anti-sistema estadouni-
...Thoreau. Luego recibió un fuerte
...causado por la obra literaria del
...olstoi y por la esencia de su pen-
...a secta fundamentalista que de-
...no le perdonó que defendiera a
...que llamaba "**harijan**" (hijos de
...viera la elevación de la edad para
...proclamara el derecho de las viu-
...raer matrimonio nuevamente.

...con actos de desobediencia civil
...británicos o las fuerzas locales
...el invasor (y el sobrellevar estoi-
...y reiterados encarcelamientos),
...s hindúes de que no asistieran a
...y no adquirieran manufacturas
...rporizaba una integridad espiri-
...er el mayor de los pecados de to-
...ación del homicidio. Su ejemplo
...Martín Luther King (hijo), du-
...a, en los Estados Unidos, para la
...resistencia pasiva por los derechos civiles de los
ciudadanos negros (también fue asesinado).

En días de expansionismo colonial occidental, en los albores de la Era Nuclear (tras los horrores de las dos grandes guerras mundiales del siglo XX, incluidos los campos nazis de exterminio y las bombas atómicas lanzadas sobre Hiroshima y Nagasaki) y las plagas totalitarias de Hitler, Mussolini, Stalin, Franco y el Japón imperial, Gandhi delineó un camino ejemplar cuya vigencia no declina.

El viernes 30 de enero de 1948, minutos después de las cinco de la mañana, el Mahatma Gandhi iba rumbo a su plegaria habitual en la congregación, cuando un joven de aproximadamente treinta años se aproximó a él y le disparó tres veces con un revólver. Al desplomarse, murmuró dos veces "Hei Rama" (Oh, Dios) y falleció.

El sabio Rabindranath Tagore, expresaría:*"Comparado con esta alma iluminada, no soy nada... Cuando llegue el momento, Gandhi será conocido pues el mundo lo necesita con su mensaje de amor, libertad y hermandad. El alma de Oriente ha encontrado un símbolo valioso en Gandhi, pues elocuentemente está demostrando que el hombre es en esencia un ser espiritual, que florece mejor en el ámbito de lo moral y espiritual, y que decididamente sucumbe en cuerpo y alma en una atmósfera de odio y pólvora humeante".*

La Verdad

*G*andhi definía su vida como *"mi experimento con la verdad"*. No la asumía como un concepto, sino como un modo de vida. La fortaleza de la verdad y su efectividad en la acción (**satyagraha**) guió los rumbos de su existencia terrenal, tanto durante sus primeras luchas en África del Sur como en toda la epopeya emancipadora de la India, a la par de la no violencia (**ahimsa**).

Satyagraha, decía Gandhi, *"es la reivindicación de la verdad, no mediante el infligir padecimientos al contrincante sino sobre el propio ser"*. Tal activismo ascético exige ante todo un potente autocontrol, pues las *"armas"* que tornan **satyagrahi** a una persona residen en el alma. Es una herramienta militante pacífica: cuando las palabras no alcanzan para convencer o disuadir al adversario, se recurre a la pureza, la humildad y la honestidad. No se trata de comprimir, convertir o aniquilar al oponente, sino de *"redimirlo del error, mediante la paciencia y la simpatía"*. Hasta las últimas consecuencias.

*La raíz etimológica "**sat**" implica apertura, honestidad y juego limpio: no otra cosa es la "verdad". Las opiniones y las creencias de cada persona representan apenas una porción de la verdad. Y para poder captar la verdad con mayor perspectiva es preciso que las verdades se asuman cooperativamente. Esto implica un anhelo de comunicación y determinación para que ello suceda, y exige un severo entrenamiento para desarrollar y refinar los propios dones de comunicación. Es una especie de transparencia, de desnudez suprema. A fines de 1931, durante una conferencia ofrecida por el Mahatma en Suiza, dijo: "Todo lo que puedo expresarles con extrema humildad es que la verdad no será hallada por quien no tenga un abundante sentido de humildad. Si quieres nadar en el seno del océano, tienes que reducirte a cero".*

*Su legado nacional puede advertirse en el emblema del gobierno de la India, que consiste en cuatro leones que miran hacia cuatro direcciones, con el lema "**Satyamev Jayate**" ("La verdad es lo único que triunfa") inscripto debajo. Los principios básicos de la resistencia no violenta son: respeto, entendimiento, aceptación y apreciación. La relevancia de las enseñanzas de Gandhi para el siglo XXI es innegable pues plantea el abandono de la codicia, del egoísmo y de todos los atributos negativos que deforman al hombre moderno, a favor del amor, la compasión, la comprensión y el respeto. Más todavía: la renuncia al homicidio.*

*Louis Fischer, biógrafo de Gandhi, resaltó que satya-graha "es el opuesto exacto de ese ojo por ojo, por ojo, por ojo que a la larga deja ciego a todo el mundo. No es posible introducirle nuevas ideas a un hombre si se le corta la cabeza, ni se infunde un nuevo espíritu a su corazón clavándole una daga. Los actos de violencia crean amargura en los sobrevivientes y **brutalidad** en los destructores: **satyagraha** apunta a exaltar a ambos bandos en pugna".*

*Gandhi fue un activista iluminado e iluminador que dinamizó como un imán gigantesco al pueblo hindú. Conocía hasta la médula los vicios y las virtudes de sus hermanos y hermanas, y movilizó a millones para librarlos del yugo extranjero. A cierta altura de su apostolado, estableció una distinción entre **satyagraha** y la resistencia pasiva tal como se entendía y practicaba en Occidente. Esto ocurrió recién cuando acabó de desarrollar esa doctrina al máximo de su sentido lógico y espiritual. Durante mucho tiempo había usado "resistencia pasiva" y **satyagraha** como sinónimos, pero cuando "la fortaleza de la verdad" fructificó en sus seguidores, el sinónimo se disolvió pues la "resistencia pasiva" occidental admitía actos de violencia y se asumía como "un arma de los débiles". En cambio, **satyagraha** excluía todo tipo de violencia bajo cualquier circunstancia, e insistía a ultranza en el imperio de la verdad.*

*Una de sus plegarias favoritas, tomada del libro sagrado **Bhagavad Gita**, expresa: "En verdad te digo que mi bienamado es quien no odia a ser alguno ni cosa alguna aborrece; que es amigo y amador de la Naturaleza toda, el misericordioso y compasivo, libre de orgullo, vanidad y egoísmo, imperturbable en el placer y el dolor, indulgente, siempre gozoso, con la mente siempre fija en Mí. Es mi bienamado quien no teme al mundo de los hombres ni le teme al mundo, y está libre de las turbulencias de la cólera, la impaciencia, el goce y el placer respecto de las cosas finitas y perecederas. Es mi bienamado el que nada desea, el que libre de ansiedad, puro, imparcial y ecuánime renuncia a toda recompensa".*

*El éxito revolucionario **satyagraha** se debió a que cualquier individuo podía encarnarlo con o sin un líder. Cualquiera podía iniciar un ayuno de protesta, un grupo podía declarar la huelga, las mujeres podían manifestar ante comercios que vendían productos extranjeros, y cosas por el estilo, sin que importara su casta, credo, edad o sexo. Los métodos de la "verdad en acción" incluían plegarias, ayunos, huelgas de hambre, penitencias, incumplimiento de ciertas leyes civiles, alfabetización popular, remoción de desigualdades sociales, y el uso de la rueca para hilar algodón y confeccionar las propias ropas, como símbolo de independencia económica. En medio de todo ello, Gandhi soltaba alguna de sus frases favoritas, como: "El ojo por ojo termina haciendo que el mundo entero se quede ciego".*

¿Qué es la verdad? El asunto contiene sus dificultades. En lo que me concierne, las he resuelto diciendo que es la voz interna que nos habla. Me preguntarán: ¿Cómo sucede entonces que hay diversos espíritus que conciben verdades disímiles y hasta opuestas? Ocurre que el espíritu humano tiene que pasar por innumerables intermediarios antes de elaborar una conclusión, y su evolución no es la misma en todos.

La verdad jamás daña a una causa justa.

En la verdad, percibo la belleza: la descubro a través de la verdad. Todo lo que es verdad, no apenas las ideas exactas, sino también los rostros francos, los retratos fieles y los cantos más naturales son objetos de belleza, e inclusive de inmensa belleza a veces. Son poquísimos los que saben discernir la belleza que emana de la verdad.

Sin duda, lo que a uno puede parecer un yerro manifiesto, a otro puede parecerle sabiduría pura. Y nada puede hacer, aunque sea víctima de una alucinación.

El silencio ayuda mucho a quien, como yo, procura la verdad. En un estado de silencio, el alma encuentra el sendero iluminado por la luz más clara, y lo que era esquivo y engañoso, es resuelto por una claridad cristalina. Nuestra vida es una prolongada y ardua búsqueda de la verdad. Y para alcanzar la cima más elevada, el alma requiere reposo interior.

La verdad es como un inmenso árbol que brinda más y más frutos cuanto más se lo nutre. Cuando más hondo se excava en la mina de la verdad, más ricos son los descubrimientos de las gemas allí existentes, lo cual abre todavía mayores variedades de servicio al prójimo.

No tengo nada nuevo para enseñarle al mundo. La verdad y la no violencia son tan antiguas como las montañas. Todo lo que hice fue tratar de experimentarlas en la mayor escala posible.

Las creaciones realmente bellas aparecen cuando surge la comprensión verdadera. Si estos momentos son raros en la vida, también son raros en las artes.

Cuando la contención y la cortesía se unen a la fortaleza, esta última se vuelve irresistible.

Si aspiramos a ser hombres que caminan con la cabeza erguida y no sobre cuatro patas, comprendamos de una vez por todas que debemos someternos voluntariamente a la disciplina y a las restricciones... *Satyagraha* no comienza ni termina con la desobediencia civil.

En todas partes veo que cunden la exageración y la mentira. Pese a todos mis esfuerzos, no alcanzo a saber dónde se esconde la verdad. No obstante, tengo la impresión de que me aproximo a ella, a medida que disminuye la distancia que me separa de Dios.

Satyagraha es gentil, jamás lastima. No puede ser resultado de la ira o la malicia. Jamás hace estrépito, nunca es impaciente ni vocifera. Es el opuesto directo de la compulsión. Se concibió como sustituto completo de la violencia.

Satyagraha es una fortaleza que pueden ejercer tanto los individuos como las comunidades, tanto para cuestiones políticas como domésticas. Su aplicabilidad universal demuestra lo perdurable e invencible que es. Pueden usarla indistintamente hombres, mujeres y niños. Y es absolutamente falso decir que a esta fuerza la utilizan solamente los débiles mientras son incapaces de enfrentar a la violencia con violencia.

Si tuviéramos una visión plena de la verdad, ya no buscaríamos a Dios, sino que seríamos uno con Él, porque la verdad es Dios. Mientras no lo logremos, seremos imperfectos. Por consiguiente, la religión —tal como la concebimos— también tiene que ser imperfecta: está sujeta a evolución.

La palabra *satya* (verdad) deriva de *sat* que significa "ser". Nada es o existe realmente, excepto la verdad. Tal es el motivo de que *sat* o verdad sea quizás el nombre más importante de Dios. En efecto, es más correcto decir que la verdad es Dios que decir Dios es la verdad.

La devoción a esa verdad es la única justificación de nuestra existencia. Todas nuestras actividades deberían estar centradas en la verdad. La verdad debería ser nuestro aliento de vida. Una vez que el peregrino llegue a esa etapa de su evolución, las demás reglas del correcto vivir surgirán sin esfuerzo, siendo instintiva la obediencia a tales reglas. Sin embargo, sin la verdad sería imposible observar ninguna regla o principio de vida.

Verdad (*satya*), que implica amor, y firmeza (*agraha*) confluyen y por lo tanto sirven como sinónimo de fortaleza. De ese modo comencé a llamar al movimiento hindú, es decir, *satyagraha*, la fuerza no violenta que nace de la verdad y el amor, y desistí de usar la denominación "resistencia pasiva".

Al haberme iniciado en *satyagraha*, he advertido que si se quiere alcanzar la verdad, en vez de recurrir a la fuerza hay que apartar al adversario de su error, con paciencia y bondad. Porque lo que a unos les parece verdad, a otros puede parecerles falso. Por otra parte, esa obra de paciencia significa que uno debe hacer recaer sobre sí todos los padecimientos necesarios. De este modo, la verdad se da a conocer, no por sufrimientos infligidos a los demás, sino por los que uno se impone.

Para los voluntarios, en 1930 redacté un código de conducta con nueve puntos:

1. No albergues rencor y sufre la ira del oponente. Rehúsa responder a sus ataques.
2. No te sometas a orden alguna dictada por la ira, aunque haya algún serio castigo a esa desobediencia.
3. Evita insultar o maldecir.
4. Protege al oponente del insulto o el ataque, aun a riesgo de tu vida.
5. No resistas el arresto ni te aferres a propiedades, salvo como delegado del dueño.
6. Niégate a entregar la propiedad que te confiaron, aun a riesgo de tu vida.
7. Si caes prisionero, compórtate de modo ejemplar.
8. Como miembro de una unidad *satyagraha*, obedece las órdenes de los líderes *satyagraha*, y en caso de serio desacuerdo, renuncia a integrar la unidad.
9. No esperes garantías para sustentar dependientes.

Cada cual le ora a Dios según su propia luz.

Los pasos siguientes rigen para toda campaña *satyagraha*, en la confrontación con un orden establecido:
1. Negociación y arbitraje
2. Preparación del grupo para la acción directa
3. Agitación
4. Emisión de un ultimátum
5. Boicoteo económico y medidas de huelga
6. No cooperación
7. Desobediencia civil
8. Usurpación de las funciones de gobierno
9. Gobierno paralelo

Pese a la humillación, a la tempestad, y a eso llamado derrota, soy capaz de conservar mi serenidad, porque mi fe en el Dios-verdad es más profunda que esos remolinos de la superficie. Puede describirse a Dios de mil maneras, pero prefiero adoptar esta fórmula: "La verdad es Dios".

Estoy predispuesto a repetirlo mil veces para que todos lo sepan. Me identifico hasta tal punto con la causa de la no violencia que preferiría el suicidio a la más íntima infidelidad. Cuando digo esto, no me olvido en absoluto del punto de vista de la verdad. Por cierto, la no violencia permite que la verdad se exprese plenamente.

Tu carácter debe estar por encima de toda sospecha, debes ser verídico y tener siempre autocontrol. La prueba más auténtica de civilización, cultura y dignidad es el carácter, no las vestimentas. El lenguaje es un reflejo exacto del carácter y del índice de crecimiento de quien habla.

Para mí, el silencio se ha vuelto una necesidad física y espiritual. Al principio, me quedaba en silencio para superar cierta sensación de apremio. En esos días anhelaba tiempo para escribir. No obstante, después de practicarlo durante un tiempo, entendí su valor espiritual. De repente se me cruzó por la cabeza que en esos momentos era cuando podía tener una mejor comunicación con Dios.

Ahora, siento como si estuviera naturalmente configurado para el silencio.

Los hombres de carácter intachable inspiran confianza con facilidad y automáticamente purifican la atmósfera circundante. Todos sus estudios serán en vano si al mismo tiempo no edificas tu carácter y logras la maestría de tus pensamientos y acciones.

Cualquier coerción sólo puede desembocar en el caos: quien la practica es culpable de violencia deliberada. La coerción es inhumana.

Para mí, la verdad es un principio soberano, que abarca una amplia variedad de otros principios. Esta veracidad no se refiere apenas a la palabra, sino también a los pensamientos, y no sólo a la relativa verdad de nuestra concepción, sino a la verdad absoluta, el principio eterno, o sea, a Dios.

Resulta difícil definir a Dios, pero la definición de la verdad está inscripta en el corazón de cada cual. La verdad es lo que cada uno considera verdadero en este concreto instante. Ese es su Dios. Si un hombre adora esa verdad relativa, con seguridad, al cabo de cierto tiempo, llegará a la verdad absoluta, o sea, a Dios.

La desobediencia civil y los ayunos no tienen nada en común con el uso de la fuerza, velada o abierta.

Existen innumerables definiciones de Dios, ya que sus manifestaciones son ilimitadas. Todas ellas me colman de admiración y de temor; algunas veces, por un instante, me causan estupor. Pero yo no venero a Dios más que bajo su aspecto de verdad. Todavía no lo he hallado, pero mi búsqueda prosigue. Para llegar a él, estoy dispuesto a sacrificar lo más querido. Si tuviese que sacrificar mi vida, creo que estaría dispuesto a ello. Pero mientras no logre descubrir la verdad absoluta, deberé seguir siendo fiel a la verdad relativa, así como se me presenta.

Dios no se encuentra en el cielo ni en el infierno, sino en cada uno de nosotros. Entonces, podré ver algún día a Dios, si me consagro al servicio de la humanidad.

Satyagraha es un proceso de educar a la opinión pública, que abarca todos los elementos de la sociedad y que al final se vuelve irresistible... Jamás promueve la venganza: sostiene la conversión, no la destrucción. Sus fracasos se deben a las fragilidades del *satyagrahi* [defensor no violento de la verdad], no a defecto alguno de la ley en sí.

Mis sueños no se ciñen a sentimientos inconsistentes: hago lo posible para convertirlos en realidad.

No soy otra cosa que un buscador de la verdad. Considero que encontré un sendero que me conduce hacia ella, y hago todo lo posible para concretar mi propósito. Aunque confieso que no la alcancé todavía. El hecho en sí de descubrir la verdad significa que uno ha alcanzado la perfección y ha cumplido su destino. Conozco bastante bien mis lamentables defectos, pero toda la fuerza me viene de tal conocimiento.

Tal vez sea digno de desprecio, pero dado que la verdad se sirve de mí para expresarse, soy un ser invencible... Finalmente, sesenta años de lucha me han permitido realizar el ideal de verdad y de pureza que me había fijado desde el comienzo.

La fortaleza no brota de una capacidad física, emana de una voluntad indomable. Una persona que haya realizado el principio de la no violencia, tiene como "arma" una energía concedida por Dios, y el mundo todavía no conoció algo que pueda equipararla.

No cooperar con el mal es tanto un deber como la cooperación con el bien. La acción no violenta sin la intervención del corazón y la cabeza no puede producir el resultado que se busca.

Hay diferencias entre la no cooperación y la desobediencia civil, pero son ramas del mismo árbol que denomino *satyagraha* [fuerza de la verdad]. Para ser "civil", esa desobediencia debe ser abierta y no violenta.

Si yo fuera un dictador, exigiría la separación entre la religión y el Estado. Mi razón de vivir emana de la religión. Por ella, estoy dispuesto a morir. Pero se trata de un asunto puramente personal. El Estado nada tiene que ver con ello. Su territorio es el del bienestar, la salud, las comunicaciones, los asuntos extranjeros, la hacienda y demás problemas netamente temporales. No tiene que preocuparse de tu religión o la mía. Este es un asunto de cada uno.

La vida es la mayor de todas las artes. Quisiera ir más lejos y decir que el hombre que más se acerca a la perfección es el mayor artista. Pues, ¿qué sería el arte si le faltaran el cimiento y la estructura de una vida noble?

No hay belleza sin verdad. Por otra parte, puede ser que la verdad se manifieste de modo tal que, externamente, no revele belleza alguna. Dicen que Sócrates era el mayor amigo de la verdad en su época y, entretanto, consta que sus facciones eran las más feas de Grecia. En mi opinión, él era bello, porque toda su vida estaba empeñada en la búsqueda de la verdad.

Olvidé casi toda la enseñanza que mis maestros sacaron de sus libros, pero recuerdo muy bien todo lo que me enseñaron fuera de sus manuales.

Evitemos la intimidad con aquellos cuyas costumbres sociales sean diferentes a las nuestras. No se debe entrelazar la vida con la de hombres o pueblos cuyo ideal está en desacuerdo con el nuestro. Cada hombre es un arroyo. Cada hombre es un río. Y todos y cada uno debe seguir su curso, límpido y sin mácula, hasta tanto llegue al mar de la Salvación, donde todos habrán de mezclarse.

La belleza verdadera consiste, sobre todo, en la pureza del corazón. El arte, para ser arte, debe promover la serenidad. Quiero un arte y una literatura que puedan hablarles a millones de hombres.

No soy muy culto, conozco poco la literatura y no he visto mucho mundo. Concentré mi atención en escasas cosas, y excluí todo interés por lo demás.

El devoto de la verdad jamás debe hacer nada por mero acatamiento a las convenciones reinantes. Debe estar siempre predispuesto a corregirse, y cuando descubra que está equivocado, tiene que confesarlo a toda costa y pagar por ello.

Así como un árbol tiene un único tronco pero muchas ramas y hojas, así hay una sola religión —la humana— pero cualquier cantidad de expresiones de fe.

La mayoría de los hombres religiosos con que me encontré son políticos disfrazados de religiosidad. En cambio, yo que parezco disfrazado de político, soy un hombre íntimamente religioso.

Estoy contra la violencia porque sus aparentes ventajas, a veces impresionantes, no son más que temporales, mientras que el mal que ocasiona deja sus huellas para siempre. Aunque se matase a todos los ingleses sin excepción, la India no sacaría de eso el mínimo provecho. No será la matanza de todos los ingleses lo que librará de su miseria a millones de hombres. La responsabilidad de nuestra situación actual nos incumbe mucho más que a los propios ingleses. Ellos no podrían hacernos el menor mal si en nosotros todo fuera bueno. De allí mi insistencia en que nos reformemos interiormente a nosotros mismos.

No soy un sabio, pero humildemente aspiro a ser un hombre de oración. La manera de orar importa poco. En este terreno, cada uno constituye su propia ley. No obstante, existen ciertos itinerarios con mojones claros y que resulta más seguro seguir, sin apartarse de ellos, puesto que fueron trazados por maestros antiguos y expertos.

La verdad es como un inmenso árbol que brinda más y más frutos cuanto más se lo nutre.

Cuando escribo, jamás pienso en lo que dije anteriormente. Mi propósito no es ser consecuente con mis declaraciones precedentes sobre una cuestión determinada, sino ser coherente con la verdad, sea cual fuere el modo en que se me presente en dicho momento. Por eso, fui creciendo de verdad en verdad, libré a mi memoria de un esfuerzo excesivo y, más todavía, cuando me veo obligado a comparar mis textos —hasta los de cincuenta años atrás— con los más recientes, no descubro entre ellos la más mínima inconsistencia.

El cuerpo nos fue dado sólo para que con él podamos servir a toda la creación.

La meta se aleja continuamente de nosotros. Cuanto más avanzamos, más debemos admitir nuestra incompetencia. Nuestra recompensa se halla en el esfuerzo y no en los resultados. Un esfuerzo total es una victoria absoluta.

Al pensar en el contraste que existe entre mi pequeñez, la fragilidad de mis medios y la grandeza de lo que se espera de mí, siento algo parecido al vértigo. Pero simultáneamente, y me doy cuenta de ello por completo, esa gigantesca esperanza que mis compatriotas depositan en mí no es para nada un homenaje a mi personalidad, que es una singular combinación del doctor Jekyll y del señor Hyde. No; ellos ven en mí la encarnación, por cierto incompleta aunque por eso mismo más interesante (dadas mis limitaciones), de dos cualidades invalorables: la verdad y la no violencia.

Las cosas poseen dos aspectos: uno externo, otro interno. El aspecto externo no posee valor, salvo que lo auxilie el interno. Por eso, todo el arte verdadero es una manifestación del alma. Las formas exteriores sólo tienen valor cuando expresan el espíritu, la interioridad del hombre.

El individualismo ilimitado es la ley de los animales de la jungla. Debemos aprender a forjarnos un sendero entre la libertad individual y la restricción social. El sometimiento voluntario a las limitaciones sociales en pro del bienestar de la sociedad entera, enriquece tanto al individuo como a la comunidad que él constituye.

Si algún día la India adopta la supremacía de la fuerza bruta, dejaré de considerarla mi tierra nativa.

Nadie en este mundo posee la verdad absoluta. Es solamente un atributo de Dios. Todo lo que conocemos es una verdad relativa. Por lo tanto, sólo podemos perseguir la verdad tal como la vemos. En tal búsqueda de la verdad, nadie puede perderse.

Cuando es relevante, la verdad debe ser pronunciada, por más desagradable que resulte. La irrelevancia es siempre algo falso y nunca debe ser enunciada.

Satyagraha, tal como lo concibo, es una ciencia que podría no ser una ciencia en absoluto, y bien podrían ser las cavilaciones de un tonto, y hasta de un loco... Pero cuanto mayor sea nuestra inocencia, más grande será nuestra fortaleza, y más sutil será nuestra victoria.

El espíritu de la democracia no es una cosa mecánica que se obtiene mediante aboliciones formales. Es algo que exige un cambio en el corazón... Mientras uno se empeñe en conservar su espada, no ha conquistado en absoluto su intrepidez.

No puedo alcanzar la liberación mediante un rechazo mecánico de la acción, sino apenas mediante una actividad inteligente despojada de cualquier interés. Esta lucha equivale a una incesante crucifixión de la carne, hasta que el espíritu quede plenamente liberado.

La verdad perdurará por sí misma, todo el resto será barrido por el correr del tiempo.

Todo en el universo —incluidos el sol, la luna y las estrellas— obedece a determinadas leyes. Sin la influencia restrictiva de tales leyes, el mundo no perduraría un solo instante. Ustedes, que tienen la misión de servir a sus semejantes, se verán muy confundidos si no se imponen algún tipo de disciplina. Y no olviden que la plegaria es una disciplina espiritual necesaria. La disciplina y las restricciones autoimpuestas son lo que nos diferencia de las bestias.

Resulta imposible que un individuo robe y simultáneamente pretenda conocer la verdad o alimentar el amor. Sin embargo, cada uno de nosotros, consciente o inconscientemente, es más o menos culpable de robo.

Para ser eficaz, la no violencia demanda la intrepidez y el respeto a la verdad. Es así: no es posible temer ni intimidar al que se ama. De todos los dones que nos fueron concedidos, sin duda alguna la vida es el más precioso.

Un hombre de fe permanecerá aferrado a la verdad, aunque el mundo entero luzca absorbido por la falsedad.

El hombre es un ser falible, jamás puede estar totalmente seguro de sus pasos. Ni yo me erijo como guía infalible ni me atribuyo inspiración. Para ser un guía infalible, el hombre debería tener un corazón perfectamente inocente, incapaz de hacer el mal. En mi caso, no estoy en semejante posición.

Puedo ser una persona despreciable, pero cuando la verdad habla a través de mí, me vuelvo invencible... No poseo otra fortaleza que la que emana de la insistencia en la verdad. La no violencia surge de la misma insistencia.

Creo que comprendo mejor el ideal de la verdad que el de la no violencia, y mi experiencia me dice que si dejo desvanecer la verdad que comprendí, jamás podré resolver el enigma de la no violencia. El ideal de la verdad demanda que los votos formulados se cumplan tanto en el espíritu como en la letra.

La alegría reside en la lucha y el esfuerzo y en el sufrimiento que implican, no en la victoria.

Muchas veces, abstenerse del alimento es necesario para mantener saludable el cuerpo, pero no existe cosa alguna como abstenerse de la oración.

Admito que en mi vida hay numerosas incoherencias. Pero como me llaman *mahatma* (alma grande o magnánima), estoy dispuesto a endosar las palabras de Emerson, de que la coherencia tonta es el caballo de batalla de los mediocres.

La verdad me resulta inmensamente más querida que esa dignidad humillante de *mahatma* con que procuran revestirme. Si hasta ahora ese peso no me aplastó, es por el sentimiento que tengo de no ser nada y porque soy consciente de mis limitaciones.

Mi vida es una faena sin reposo, realizada con alegría. Puesto que no me preocupa el mañana, me siento libre como el aire. Encuentro un inmenso consuelo en la idea de que lucho sin tregua y de modo sincero contra todo lo que la carne ambiciona.

La verdad reside en cada corazón humano, y uno debe procurarla allí, dejándose guiar por la verdad tal como la percibe. Nadie tiene el derecho de aplicar coerción a otros para que actúen según su propia visión de la verdad.

Tuve la suerte, o la falta de suerte, de tomar al mundo por sorpresa. Los experimentos nuevos, o los experimentos antiguos en formas nuevas, generan —a veces— incomprensión.

La verdad, que es permanente, elude al historiador de eventos: la verdad trasciende la historia.

No me interesa en absoluto parecer coherente. En mi camino en busca de la verdad, abandoné muchas ideas y aprendí muchas cosas nuevas. Soy viejo de cuerpo, pero no tengo la conciencia de haber dejado de crecer interiormente, o que mi crecimiento cesará con la disolución de mi carne. Lo que me interesa es mi actitud de disposición a obedecer el llamado de la verdad, mi Dios, momento tras momento.

Una convicción nueva viene apoderándose de mí. Todo lo que me resulta posible, le es posible inclusive a un niño: y tengo buenas razones para decirlo. Los instrumentos para procurar la verdad son a la vez sencillos y complicados. A una persona arrogante pueden resultarle inabordables. En cambio, no le plantean dificultad alguna a un niño inocente.

Utiliza la verdad como si fuera tu yunque, a la no violencia como tu martillo, y todo lo que no resista la prueba cuando sea llevado al yunque de la verdad y sea percutido con la no violencia, recházalo.

Un acto que no es voluntario no puede considerarse como moral. Mientras uno actúe como una máquina, resulta imposible hablar de moralidad. Para decir que una acción es moral, resulta preciso haberla llevado a cabo conscientemente y sabiendo que se trata de un deber. Toda acción que haya sido dictada por el miedo o por la violencia, deja de ser moral automáticamente.

Varias experiencias muy duras me enseñaron a no dejar que exprese mi ira. Así como comprimiendo el vapor se obtiene una nueva fuente de energía, también controlando la ira se puede lograr una fortaleza capaz de derribar al mundo por entero.

El primer deber es el de proteger a los débiles, y no ultrajar una consciencia humana. No seremos mejores que las bestias, mientras no hayamos purificado este pecado.

Generalmente, el hombre común no percibe belleza alguna en la verdad. Sigue de largo, ciego ante la belleza. Toda vez que el hombre comienza a ver belleza en la verdad, nace el arte verdadero.

En la marcha hacia la verdad, la ira, el egoísmo, el rencor, etc., deben quedar de lado, pues de otro modo sería imposible alcanzar la verdad. Un hombre a merced de sus pasiones puede tener muchas buenas intenciones, puede tener palabras verídicas, pero jamás descubrirá la verdad. Una búsqueda exitosa de la verdad exige liberarse por completo del tropel de dualidades tipo amor u odio, felicidad o desdicha.

Si sólo un hombre avanza un paso en la existencia espiritual, toda la humanidad se beneficia de ello. Al contrario, la marcha atrás de uno solo implica un retroceso del mundo entero.

Mi labor habrá concluido si consigo convencer a la humanidad de que cada hombre o cada mujer, sea cual fuere su potencialidad física, es el guardián de su dignidad y de su libertad. Este amparo es posible, aun cuando el mundo entero se vuelva contra el único que sea capaz de resistir.

Debo someterme a una purificación personal. Debo alcanzar la condición de registrar mejor hasta la más leve variación de la atmósfera moral que me rodea. Mis plegarias deben expresar más verdad y humildad. No hay nada más purificador que el ayuno verdadero para lograr la expresión más íntegra de uno mismo: el dominio del espíritu sobre la carne.

La vida es una aspiración. Su misión es esforzarse por la perfección, que es la autorrealización. El ideal no debe ser rebajado por nuestra debilidad o nuestra imperfección. Tengo dolorosa consciencia de que ambas se encuentran en mí. Diariamente, mi grito silencioso le pide a la verdad que me ayude a erradicar de mí tal debilidad y tales imperfecciones.

El rumbo más seguro es creer en el gobierno moral del mundo y, en consecuencia, en la supremacía de la ley moral, la ley de la verdad y del amor.

Inicia tu día con una plegaria y hazla tan conmovedora como para que perdure en ti hasta el atardecer. Concluye el día con una plegaria, para disfrutar de una noche pacífica libre de sueños y de pesadillas. Que la forma de la plegaria no te preocupe. Deja que se manifieste como sea: tal es el modo en que nos pone en contacto con lo divino. Cabe apenas una precaución: cualquiera que sea su forma, no permitas que el espíritu se disperse mientras las palabras de la plegaria emanan de tu boca.

Si continúa la demencial carrera armamentista, desatará una matanza jamás vista antes en la historia. Si alguien resulta triunfante, esa victoria vana será como una muerte en vida para la nación que se alce como victoriosa.

En la persona de Thoreau, los estadounidenses me dieron un maestro. Su ensayo sobre el deber de la desobediencia civil me aportó la confirmación científica de las razones de mi accionar en África del Sur.

La gota de agua participa de la grandeza del océano, aunque ella no lo sepa. Pero ni bien se empeñe en separarse de él, se secará completamente.

No resulta ni mucho menos exagerado decir que la vida no es más que una ilusión.

Jamás se me ocurrió pensar que mi misión fuera la del caballero andante que va por todas partes deshaciendo entuertos y auxiliando a las almas en peligro. Lo único que hice fue esforzarme en demostrar cómo resulta posible superar nuestras propias dificultades.

Hace cuarenta años, cuando atravesaba una grave crisis de escepticismo y de duda, llegó a mis manos el libro de Tolstoi *El Reino de Dios está en vosotros*. Ese libro produjo en mí una impresión muy honda. En aquella época todavía creía en la violencia. Después de leer esa obra, me vi curado de mi escepticismo y comencé a creer firmemente en la no violencia. Lo que más admiro de la obra de Tolstoi es que ponía en práctica todo lo que predicaba y no se echaba atrás ante cualquier sacrificio en la búsqueda de la verdad.

Con Tolstoi, Rusia me dio un maestro capaz de fundamentar racionalmente mi no violencia empírica. Tolstoi dio su bendición al movimiento que yo había creado en África del Sur, cuando el intento estaba todavía en pañales y apenas permitía adivinar sus admirables posibilidades. Fue él quien profetizó en una carta que me dirigió en esos días que mi acción llevaría un mensaje de esperanza a los pueblos oprimidos.

Cuando estaba preso, me enviaron desde lugares diferentes nada menos que tres ejemplares de *La vida de sor Teresa*, con la esperanza de que seguiría su ejemplo y descubriría en Jesús al hijo único de Dios y salvador mío. Leí la obra con recogimiento, pero no pude hacer mío el testimonio de santa Teresa... Actualmente me levanto contra el cristianismo dogmático, en la medida en que estoy convencido de que tal doctrina ha deformado el mensaje de Jesús. Cristo era un asiático, cuyo mensaje fue transmitido según medios muy diversos. Pero cuando esta religión recibió el apoyo de un emperador romano, se hizo imperialista, y lo ha seguido siendo hasta hoy. Evidentemente, hay excepciones brillantes, pero raras.

Jesús expresó como nadie el espíritu y la voluntad de Dios. Por este motivo, Lo veo y Lo reconozco como Hijo de Dios. Puesto que la vida de Jesús posee el significado y la trascendencia que he mencionado, creo que Él pertenece no solamente al cristianismo sino al mundo entero, a todas las razas y gentes, sin que importe demasiado bajo qué bandera, denominación o doctrina sirvan, profesen una fe o adoren al Dios heredado de sus antepasados.

En principio, debes buscar la verdad: la belleza y la bondad surgirán por añadidura. Tal es la auténtica enseñanza de Cristo en el Sermón del Monte. A mi entender, Jesús fue un artista inigualable, pues captó la verdad y supo expresarla.

Buda reinstaló a Dios en su justo lugar y destronó al usurpador que en ese momento parecía ocupar el Trono Blanco. Declaró repetidas veces que existía eterna e inalterablemente y era gobierno moral de este universo. Y sin vacilaciones afirmó que la Ley era Dios.

Jesús redimió los pecados de los que aceptaron su enseñanza, y fue para ellos un ejemplo infalible. Pero el ejemplo se quedó en letra muerta para los que no se esforzaron en cambiar de vida. El hombre regenerado ve cómo se borra toda aquella impureza que lo caracterizaba al comienzo, igual que el oro purificado se ve libre de las huellas de la aleación precedente.

El modo correcto, la palabra adecuada, la conducta justa y el comportamiento apropiado eran el estilo de Gautama Buda. Él nos brindó la clara ley de la familia humana. Su amor, su amor ilimitado, llegaba igualmente desde el más inferior de los animales, desde la menor forma de vida, hasta los humanos. Insiste en la claridad de la vida. La pretensión de que el humano sea un amo de las creaciones menores es un ejemplo de arrogancia.

Cuando admiro las maravillas de un crepúsculo o la belleza de la luna, mi alma se expande en adoración al creador.

El sendero de la paz es el sendero de la verdad. Conquistar la veracidad es más importante que conquistar la paz. Por cierto, la mentira es la madre de la violencia. El hombre veraz no logrará ser violento durante mucho tiempo: en el curso de su búsqueda advertirá que no precisa ser violento. Después, descubrirá que mientras persista en él un mínimo rastro de violencia, no conseguirá encontrar la verdad que procura.

Ni bien desaparezca el espíritu de explotación, los armamentos se convertirán en una carga insostenible. El auténtico desarme no ocurrirá mientras las naciones del mundo no paren de explotarse entre sí.

En el bruto, el alma permanece siempre dormida. En el hombre, el raciocinio agudiza y orienta la sensibilidad. Lo que le permite al alma salir de su sueño es despertar al corazón. También es lo que despierta a la razón y lo que la acostumbra a discernir entre el bien y el mal. Hoy, todo lo que nos rodea, nuestras lecturas, nuestros pensamientos y nuestras costumbres sociales, todo ello conspira generalmente para estimular nuestro instinto sexual y facilitar su satisfacción.

No resulta fácil liberarse de tal engranaje. Pero es una labor digna de nuestros más decididos esfuerzos.

Cada cual tendría que gobernarse a sí mismo, a fin de no ser nunca un estorbo para el prójimo. En tal estado ideal, no existe el poder político, porque no existe el estado. Pero dicho ideal no aparece nunca en la vida real. Por eso, tenemos la clásica afirmación de Thoreau: "El mejor gobierno es el que gobierna menos".

Hay principios eternos que no admiten compromiso, y el hombre debe estar dispuesto a sacrificar su vida en defensa de esos principios.

Se requiere un mínimo de bienestar y de comodidad, pero una vez alcanzado tal nivel, todo lo que serviría para ayudarnos se convierte en una fuente de malestar. Correr tras un número ilimitado de necesidades para satisfacerlas de inmediato, es igual que dedicarse a perseguir el viento. Este falso ideal no es más que una trampa. Hay que saber imponer límites a las propias necesidades, tanto físicas como intelectuales, para que el ansia de satisfacerlas no se convierta en una búsqueda del placer. En el plano material y cultural procuremos que nuestras condiciones de vida no nos impidan servir a la humanidad, que es la misión que debería activar todos nuestros potenciales.

La verdad abstracta no tiene valor, a menos que se encarne en los seres humanos que la representan, probando su disposición a morir por ella.

Existen muchas cosas de las que no podemos huir así nomás, inclusive evitándolas. Esta implicancia terrestre en la que estoy aprisionado es el tormento de mi vida, pero tengo que entenderme con ella, y hasta aceptarla con buena voluntad.

El hombre es un ser limitado. Como tal, nunca conocerá plenamente la verdad y el amor, que son infinitos. Pero poseemos un conocimiento suficiente de ellos para guiar nuestros pasos. En nuestros esfuerzos por avanzar es posible que nos engañemos, y a veces muy seriamente. Pero el hombre debe ser su propio director: con tal autonomía puede cometer errores y enmendarlos, así como lo hace frecuentemente.

Para crecer, el espíritu requiere ejercicio, del mismo modo que la educación física le da al cuerpo el entrenamiento necesario.

Hay una corte más suprema que las cortes de justicia, y es la corte de la consciencia. Supera todas las demás cortes.

En lo referido a la autosuficiencia, la interdependencia es y tendría que ser el ideal humano. El hombre es un ser social. Si no se interrelaciona con la sociedad, nunca conseguirá su unidad con el universo ni cancelará su egoísmo.

De todo corazón daría la bienvenida a la unión de Oriente y Occidente, dando por sentado que no se base en la fuerza bruta.

La resistencia civil es una espada de muchos filos: puede usarse de infinitas maneras. Bendice a quien la usa, y bendice al que es su destinatario. Sin derramar una gota de sangre produce resultados sin parangón. Jamás se oxida ni puede ser robada.

Me hice periodista no por gusto, sino simplemente porque vi en el periodismo un medio para cumplir mejor mi misión en la vida. Por cierto, debo enseñar a los demás a servirse de un arma incomparable: *satyagraha*. Es el corolario directo de la no violencia y la verdad.

En verdad, un resistente perfecto basta para ganar la batalla de lo justo contra lo injusto.

Estoy seguro de que hasta el corazón más pétreo
será ablandado por esa resistencia. Es un remedio
soberano y de alta efectividad. Es un "arma" del tipo más puro. No es un recurso de los frágiles: para
ser un resistente civil hay que tener mucho más
coraje que para la simple resistencia física.

Lo que se alza como testimonio de envergadura es
el coraje de un Jesús, un Daniel o un Ridley que avan-
zará en calma hacia el sufrimiento o la muerte, es el coraje de un Tolstoi que osó desafiar a los zares de Rusia.

Jesucristo, Daniel y Sócrates representaron la
forma más pura de resistencia o fortaleza del alma.
Todos estos maestros consideraban sus cuerpos como nada en comparación con sus almas.

En todo caso, el manejo de esta fortaleza nunca le
causa sufrimiento a los otros. Hasta cuando se la apli-
ca erróneamente. Solamente damnifica a quien la utiliza y no a aquellos contra los cuales se asume. Igual

que la virtud, tiene su propia recompensa. No hay falla alguna cuando se recurre a este tipo de fortaleza.

Tolstoi fue el mejor y más brillante ejemplo moderno de la doctrina. No sólo la expuso sino que vivió de acuerdo con ella. En la India, la doctrina fue entendida y practicada comúnmente mucho antes de consolidarse en Europa.

Resulta sencillo percibir que la fortaleza del alma es superior a la fuerza corporal. Si la gente que se opone al imperio del mal recurriera a la fortaleza del alma, se evitaría mucho del sufrimiento actual.

Al someternos a una disciplina adecuada podemos volvernos "casi tan grandes como los ángeles". Quien ha vencido al mundo de los sentidos, es un guía para los demás. Contiene todas las virtudes y Dios mismo se manifiesta a través de él.

Pero inclusive cuando Buda y Cristo castigaban, evidenciaban una inequívoca gentileza y un amor detrás de cada uno de sus actos. No alzarían un solo dedo contra sus enemigos, sino que se rendirían ellos mismos antes que hacer claudicar la verdad por la cual vivían.

Buda llevó sin temor esta batalla al campo enemigo y puso de rodillas a un clero arrogante. Cristo expulsó a los cambistas del templo de Jerusalén e hizo caer anatemas del cielo sobre los hipócritas y los fariseos. Ambos practicaban la intensa acción directa.

Buda podría haber muerto resistiendo a los sacerdotes, si la majestad de su amor no hubiese probado que se equiparaba a la obra de enderezar al clero. Cristo murió en la cruz con una corona de espinas en su cabeza, desafiando el poderío de un imperio entero. Y si yo promuevo resistencias de carácter no violento, simple y humildemente sigo los pasos de los grandes maestros.

Parecería que el mundo corre detrás de cosas de valor efímero. Casi no le sobra tiempo para más. Sin embargo, cuando se indaga un poco este problema, se advierte que en definitiva lo único que importa es lo que lleva el sello de la eternidad.

Quien procure nuevas experiencias, debe empezar por sí mismo. Eso lo conducirá a un veloz descubrimiento de la verdad, porque Dios siempre protege a los experimentadores honestos.

Me gusta la música y todas las demás artes. Pero no les atribuyo valor, como sucede en general. Así, por ejemplo, no puedo encontrarle valor a ninguna actividad que para ser comprendida exija conocimientos técnicos. Cuando contemplo el cielo sembrado de estrellas en su infinita belleza, esto es para mis ojos (y significa para mí) más que todo lo que pueda darme el arte humano.

La regla de oro de nuestra conducta es la tolerancia mutua. En efecto, resulta evidente que jamás tendremos todos la misma opinión y que la verdad se nos presentará de modo fragmentario según sus distintos aspectos. La consciencia no nos habla a todos de manera idéntica. Sin duda, es una excelente guía para cada uno. Pero querer imponer a los otros nuestra conducta individual sería una distorsión intolerable de la libertad de consciencia.

La característica que distingue a la civilización moderna es la multiplicación indefinida de las necesidades humanas. La característica de la civilización antigua es la restricción imperativa y la regulación estricta de tales necesidades.

La propagación de la verdad y la no violencia puede realizarse mejor viviendo realmente tales principios, que divulgándolos a través de los libros. La vida vivida realmente es más significativa que los libros.

Muchas veces, se confunde el conocimiento espiritual con el progreso espiritual. La espiritualidad no es cuestión de saberes escriturales ni de discusiones filosóficas. Más bien se trata de robustecer el corazón por encima de toda medida. La primera exigencia de toda espiritualidad es la intrepidez. Resulta imposible que un cobarde sea virtuoso.

La belleza de *satyagraha* reside en que viene hacia ti, no hace falta que salgas en su búsqueda.

No hay un término medio entre la verdad y la falsedad, entre la no violencia y la violencia. Tal vez jamás logremos tanta fortaleza como para ser íntegramente no violentos en el pensamiento, la palabra y la acción. Pero tendremos que mantener la no violencia como meta y tratar de evolucionar en forma constante hacia ella.

Todas las creencias constituyen una revelación de la verdad, pero todas son imperfectas y están sujetas a errores. La reverencia que nos inspiran las religiones no debe cegarnos ante sus defectos. Igualmente, debemos ser agudamente sensibles a los defectos de nuestra fe, no para dejarlos tal como están, sino para tratar de superarlos. Al observar con ojo imparcial las demás religiones, no sólo no debemos vacilar en incorporar a nuestra fe los rasgos aceptables de las otras creencias sino, por el contrario, pensar que ese es nuestro deber.

El sano descontento es un preludio del progreso.

El odio siempre mata, el amor nunca muere: tal es la vasta diferencia entre ambos. Lo que se obtiene mediante el amor es retenido para siempre. Lo que se obtiene con el odio se vuelve en realidad una carga, porque incrementa los rencores.

Estoy convencido de mis propias limitaciones: esta convicción es mi fortaleza.

Perdonar y aceptar la injusticia es cobardía.

Desde el punto de vista de la verdad, el cuerpo no es más que una posesión accidental. Con mucha razón se dice que lo que crea al cuerpo es el deseo de gozar, para ponerlo a disposición del alma. Cuando el deseo se apaga, el cuerpo ya no tiene razón de ser y el hombre se ve entonces libre del círculo vicioso de los nacimientos y las muertes. El alma es omnipresente: ¿por qué va a querer verse encerrada en una jaula como el cuerpo? En consecuencia, hay que alcanzar una renuncia total y aprender a servirse del cuerpo —mientras existe— para entregarse a los demás, hasta el punto de que la consumación de este sacrificio tiene que transformase en nuestro verdadero pan, indispensable para nuestra vida.

Mientras estemos embutidos en este esqueleto, nos será imposible captar perfectamente la verdad. Solamente nuestra imaginación puede permitirnos anticipar tal momento. El instrumento efímero que es nuestro cuerpo nos impide ver cara a cara la verdad, que es eterna. Por ello, en definitiva, todo depende de nuestra fe.

No se es forzosamente silencioso por el hecho de tener la boca tapada. Hasta pueden habernos cortado la lengua, sin que por ello hayamos conocido el silencio verdadero. El hombre silencioso es el que teniendo la posibilidad de hablar, jamás pronuncia una palabra de más.

En el primer ímpetu de la plegaria real y viviente, no siempre nos asiste el éxito. Debemos luchar con nosotros mismos, tenemos que creer a pesar de nosotros. En ello, los meses parecen años. Por lo tanto, si queremos comprobar la eficacia de la plegaria, debemos cultivar una paciencia ilimitada.

Los siete pecados de la sociedad: política sin principios, riqueza sin trabajar, júbilo sin consciencia, conocimiento sin carácter, comercio sin moralidad, ciencia sin humanidad, rezar sin sacrificio.

No es para nada censurable que un hombre persiga la verdad según sus propias luces, todo lo contrario: su obligación es hacerlo. En consecuencia, si alguien que persigue de tal modo la verdad se equivoca, de inmediato se rectifica... En semejante búsqueda desinteresada de la verdad nadie puede andar desorientado durante mucho tiempo, pues al instante de tomar el rumbo errado tropezará, y luego retomará el sendero correcto. De ahí que la procura de la verdad sea su verdadera devoción.

Nos sumiremos en la tiniebla y los desengaños —y hasta en otras situaciones peores— pero debemos tener el coraje suficiente para luchar contra todo y no sucumbir a la cobardía. Para un hombre de oración, no existe nada que se parezca al retroceso.

Una plegaria sincera está muy lejos de ser un recitado articulado con la boca. Es un anhelo interno que se expresa en cada palabra y en cada acto, en cada negación y en cada uno de los pensamientos del hombre. Si nos asalta con éxito un mal pensamiento, debemos saber que apenas ofrecimos una plegaria de los dientes para afuera. Otro tanto ocurre con las malas palabras que puedan escapar de nuestra boca o de los malos actos que practiquemos. La plegaria genuina es un escudo y una protección total contra dicha trinidad de males.

En la resistencia civil de las masas, el liderazgo resulta esencial. En la resistencia civil individual, cada resistente es su propio líder.

Pese a todo, tras los esfuerzos más tenaces, no se puede lograr que los ricos protejan realmente a los pobres. Y si estos últimos se ven cada vez más oprimidos hasta el punto de morir de hambre, ¿qué se puede hacer? Cuando se busca una solución para este acertijo, es cuando los recursos no violentos de la no colaboración y de la desobediencia civil se me presentan como los únicos que resultan justos e infalibles. En una sociedad concreta, los ricos no pueden hacer fortuna sin la colaboración de los pobres. Si estos se convencieran de esta verdad y se impregnaran con ella, tomarían sus medidas y aprenderían a liberarse ellos mismos —en base a métodos no violentos— de las desigualdades que los han llevado al borde del hambre.

Descubrí que la vida perdura aun en medio de la destrucción. Por consiguiente, debe haber una ley más elevada que la ley de la destrucción. Sólo bajo dicha ley resulta inteligible una sociedad bien ordenada y la vida digna de ser vivida. Entonces, si esa es la ley de la vida, por ella debemos trabajar en lo cotidiano.

Por diversos motivos me asusta viajar a Europa o a Norteamérica. No es que confíe menos en los pueblos de esos dos enormes continentes que en mis compatriotas. Las dudas bullen en mí mismo. Si viajase a Occidente, no sería por razones de salud ni para ver territorios nuevos. Tampoco me interesa hablar en público. Siento espanto de que me consideren una celebridad. Me pregunto si algún

día encontraré la fuerza para soportar las manifestaciones públicas, y si cederá esa tensión agotadora
que me atrapa cuando tomo la palabra en público.

No quiero que mi casa esté amurallada por todas
partes, y que mis ventanas permanezcan cerradas. En
cambio, quiero que las culturas de todas las tierras
soplen sobre mi casa del modo más libre posible. Pero me niego a que cualquiera me patee los pies.

Durante toda mi vida, la insistencia con que
encaro la verdad me lleva a considerar al arte como
responsabilidad.

La verdad se encuentra en cada corazón humano
y tienes que buscarla allí. Debes dejarte conducir
por la verdad, del modo en que la concibas. Pero
no tienes el derecho, de acuerdo con mis concepciones, para forzar a otros a que actúen.

La plegaria no es pedir. Es un anhelo del alma. Es la admisión cotidiana de la propia debilidad... En la plegaria, es mejor tener un corazón sin palabras que palabras sin corazón.

Creo que la suma total de la energía de la humanidad no existe para abatirnos sino para elevarnos. Ello es consecuencia de la definida, aunque inconsciente, ley del amor. El hecho de que la humanidad persista en ello, demuestra que la potencialidad cohesiva es mayor que la fuerza disolvente: lo centrípeto supera a lo centrífugo.

Los científicos nos dicen que sin la presencia cohesiva de los átomos que configuran nuestro mundo, este se diluiría en fragmentos y cesaríamos de existir. Así como hay fuerza cohesiva en la materia ciega, así existe en todos los seres animados, y el nombre de esa fuerza cohesiva en los seres animados es el amor. Lo percibimos entre el padre y el hijo, entre el hermano y la hermana, entre un amigo y otro. Pero tenemos que aprender a usar esta potencia con todo lo que vive, y en su uso se basa nuestro conocimiento de Dios. Donde hay amor, se imponen el amor y la vida. El odio lleva a la destrucción.

El hombre deja de desarrollarse cuando se apodera de él la autosatisfacción. Por consiguiente, se vuelve inepto para la libertad. Quien ofrece un pequeño sacrificio con espíritu humilde y religioso, pronto comprueba la pequeñez de lo que ofreció. El camino del servicio nos lleva a encontrar la medida de nuestro egoísmo. Por eso, debemos desear continuamente dar más sin quedarnos satisfechos hasta que se produzca una entrega completa.

No tengo anhelo alguno de fundar una secta. En verdad, soy demasiado ambicioso. No represento verdades nuevas: trato de representar y seguir la verdad tal como la conozco. Arrojo nueva luz sobre muchas verdades antiguas.

Sería hermoso que todos nuestros jóvenes y viejos, hombres y mujeres, dedicáramos íntegramente a la verdad todo lo que hacemos durante las horas de vigilia —trabajar, comer, beber o jugar—, hasta que la disolución de la carne nos vuelva uno solo con la verdad.

La mujer es la compañera del hombre, dotada con iguales capacidades mentales. Ella tiene derecho a participar en los mínimos detalles de las actividades del hombre, y con él tiene igual derecho al libre albedrío y a la emancipación.

He venerado a la mujer como la corporización viva del espíritu de servicio y sacrificio.

El ornamento real de la mujer es su carácter, su pureza.

La fuerza bruta fue un factor conductor en el mundo durante miles de años, y la humanidad estuvo cosechando sus amargos frutos todo ese tiempo. Hay poca esperanza de que algo bueno surja de ello en el futuro. Si la luz logra emerger en la oscuridad, el amor puede surgir entre el odio.

Entre el esposo y la esposa no deben existir secretos. Tengo la opinión más elevada sobre el matrimonio. Aspiro a que ambos se fusionen entre sí. Son uno en dos o dos en uno.

El vínculo espiritual es mucho más precioso que el físico. La relación física divorciada de lo espiritual es un cuerpo sin alma.

La mujer posee un corazón compasivo que se derrite al ver el sufrimiento.

La verdad me resulta infinitamente más apreciable que mi título de *Mahatma* [magnánimo o "gran alma"] que no es más que un simple fardo para mí: lo que hasta ahora me salvó de la opresión de ese título de *Mahatma* es el conocimiento de mi indignidad y de mi nada.

Mi consejo es: *satyagraha* al principio, *satyagraha* al final. No existe mejor camino para alcanzar la libertad.

Cuando quienes me rodean mueren por falta de alimentos, la única ocupación que me está permitida es la de alimentar a los hambrientos.

Soy un pobre mendigo: mis bienes terrenales consisten solamente en seis ruecas, unos platos de hojalata, una jarra de leche de cabra, seis taparrabos y unas toallas fabricadas en el *ashram*. Finalmente, mi reputación, que no vale gran cosa.

Cuando me inclino sobre la tierra, advierto mi deuda con Dios y también que —si soy digno de esta morada— debo reducirme a polvo y regocijarme por entablar lazos no apenas con los seres humanos más inferiores sino también con las formas más bajas de la creación, cuyo sino —ser reducidas a polvo— debo compartir. Las formas más ínfimas de la creación son tan imperecederas como mi alma.

La experiencia me enseñó que el silencio forma parte de la disciplina espiritual del devoto de la verdad. La propensión a exagerar, a suprimir o modificar la verdad —sea o no a sabiendas— es una debilidad natural del hombre. Por consiguiente, para vencer dicha debilidad se hace necesario el silencio. El hombre de pocas palabras raramente será descuidado con su habla, pues medirá sin falta cada sílaba que pronuncie.

Mi obra estará completa si tengo éxito en llevarle la convicción a la familia humana, de que cada hombre y mujer, por más frágil que sea su cuerpo, es el custodio de su autorrespeto y su libertad, y que esta defensa prevalece, aunque el mundo esté en contra del resistente individual.

Para ser civil, la desobediencia debe ser sincera, respetuosa, restringida; jamás desafiante. Debe basarse en principios bien entendidos, no tiene que ser caprichosa y, sobre todo, no debe fundarse en el resentimiento o las malas intenciones.

En general, se supone que observar la ley de la verdad significa apenas que debemos decir la verdad. No obstante, los que vivimos en el *ashram* debemos entender el concepto *satya* o verdad en un sentido mucho más amplio. Tiene que haber verdad en los pensamientos, verdad en la palabra, y verdad en cada acción.

La resistencia indiscriminada a la autoridad conduce a la ilegalidad y a una permisividad descontrolada y, consecuentemente, a la autodestrucción.

Sea cual fuere la dificultad con que tropecemos, cualquiera que sea nuestra aparente derrota, no resulta posible renunciar a la búsqueda de la verdad, ya que no es otra cosa que el mismísimo Dios.

Nuestra lucha tiene como propósito la amistad con el mundo entero. La no violencia ha alcanzado a los hombres, y permanecerá: es la anunciadora de la paz en el mundo.

La espiritualidad no consiste en conocer las Escrituras y trabarse en debates filosóficos: es cultivar el corazón, es tener una fortaleza inconmensurable. La intrepidez es el requisito inicial de la espiritualidad. Los cobardes nunca son morales.

La última guerra mostró la naturaleza satánica de la civilización que domina la Europa actual. Todas las leyes de moralidad pública fueron transgredidas por los vencedores, en nombre de la virtud. Ninguna mentira fue considerada demasiado innoble como para no ser utilizada. Y detrás de tanto crimen, la motivación es groseramente material: la Europa no es cristiana.

El poeta vive para el mañana y quisiera que nosotros hagamos lo mismo. Presenta ante nuestra mirada extasiada la bella descripción de los pájaros, el amanecer, cantando himnos de alabanza o alzando el vuelo. Ellos tienen su alimento cotidiano y alzan el vuelo con las alas descansadas, en las que la sangre se renovó durante la noche. Pero yo he tenido el dolor de observar a pájaros que, carentes de fuerzas, ni siquiera tenían el deseo de agitar débilmente sus alas. El pájaro humano, bajo el cielo hindú, se eleva más débilmente todavía que si fuera a reposar.

Considero que la desobediencia civil es la forma más pura de agitación constitucional. Por supuesto, se vuelve degradante y despreciable si su carácter civil no violento es apenas un disfraz para otros fines.

La India es una casa en llamas, muere de hambre porque no tiene trabajo que le permita hallar el alimento necesario. La India está cada día más extenuada. La sangre casi ya no circula por sus miembros. Si no la reparamos, caerá convertida en añicos...

Para un pueblo hambriento y desocupado, la única forma bajo la cual Dios puede osar aparecérsele, es el trabajo y la promesa de comida, en pago del trabajo. Dios creó al hombre para que se gane el sustento con su trabajo, y ha dicho que los que comen sin trabajar son ladrones.

¡Pensemos en los millones de seres humanos que hoy son menos que animales, que están casi por morir! La rueca es la vida para estos millones de moribundos. Es el hambre lo que impulsa a la India hacia la rueca...

Más vale seguirle comprando el hilado a Manchester que instalar en la India las fábricas de

Manchester. Un Rockefeller hindú no sería mejor que el otro. El maquinismo es un gran pecado que envilece a los pueblos: y el dinero es un veneno, igual que el vicio sexual.

Lo que anhelo es un cambio en las condiciones de trabajo. Hay que terminar con esa carrera delirante que conduce a querer cada vez más dinero. El trabajador debe estar seguro, no tan sólo de que tendrá un salario para poder vivir, sino también de que tendrá una labor cotidiana que no sea un oficio de esclavo.

El heroísmo y el sacrificio en una mala causa es un desperdicio de energía espléndida, y daña la buena causa porque desvía la atención sobre ella, dado el espejismo de ese heroísmo y sacrificio malogrados en vano.

Es preciso hilar. ¡Que todos hilen! Que Tagore hile también, como los demás. ¡Y que queme sus vestiduras extranjeras! Es el deber del día. Dios se ocupará del mañana. Como dice el *Gita*: "¡Cúmplase la acción justa!".

La rueca simboliza la consciencia colectiva y el aporte individual de cada habitante a una definida y constructiva labor nacional. Si las máquinas fuesen bien utilizadas, deberían ayudar y aliviar el esfuerzo humano. Pero el uso actual de las máquinas tiende a concentrar cada vez más el bienestar en manos de unos pocos, con desprecio absoluto por los millones de hombres y mujeres cuyo pan es arrebatado de sus bocas por tales máquinas.

La hilandería manual no tuvo nunca como objeto ni como resultado entrar en competición con alguna otra forma de actividad humana, para suplantarla. Mucho menos intenta eliminar del empleo que ocupa a cualquier persona válida, capaz de hallar una actividad remunerada. Lo único que pretende es poder brindar una solución inmediata, practicable y permanente al mayor de los problemas planteados en la India. O sea: una mayoría aplastante de población reducida a la ociosidad forzada, durante casi seis meses del año, por falta de una tarea complementaria que les permita a los agricultores salir del hambre crónica que provoca semejante situación.

Nada se ha hecho sobre la tierra sin acción directa. Rechacé el término "resistencia pasiva" porque resulta insuficiente. Es la acción directa la que, en Sudáfrica, convirtió al general Smuts... ¿Cuál es la más grande simbiosis realizada por Cristo y Buda? La fortaleza y la dulzura. Buda llevó la guerra al campo enemigo: hizo que se arrodillara todo el sacerdocio arrogante. Cristo expulsó a los mercaderes del templo, flagelando a los hipócritas y a los fariseos. Es acción directa... e intensa. Y al mismo tiempo, detrás de sus acciones, había una infinita dulzura.

Para millones de seres, la vida es un eterno velar, o una eterna catalepsia. He descubierto que es imposible endulzar los sufrimientos de los hambrientos con un canto de Kabir. ¡Hay que darles trabajo, para que puedan comer! ¿Pero por qué, me preguntarán, tengo yo necesidad de hilar si no tengo necesidad de

trabajar para mí? Porque como lo que no me pertenece. Vivo de la explotación de mis compatriotas. Sigan el rastro de todas las monedas que lleguen a sus
bolsillos, y verán la verdad de lo que digo.

Jamás pensé, ni mucho menos recomendé, que
se abandone una sola de las actividades industriales
que son sanas y provechosas, para dedicarse a la hilandería manual. El empleo de la rueca se basa
completamente en el hecho de que en la India hay
millones de hombres empleados la mitad del tiempo. Si no sucediera eso, yo admitiría que la rueca
no tiene razón de ser.

No logro entender la excitación y los distur-
bios que siguieron a mi último arresto. Eso no es
satyagraha. Quienes se unieron al movimiento
prometieron refrenar, bajo todo concepto, cualquier acto de violencia, no arrojar piedras y lasti-
mar gente de cualquier manera. Pero en Bombay
estuvimos tirando piedras. Estuvimos obstruyen-
do a los trenes colocando obstáculos en su camino. Eso no es *satyagraha.* Hemos exigido la libe-

ración de cincuenta hombres detenidos por actos de violencia. Pese a que nuestro deber es mayormente ser arrestados. Promover la libertad de gente arrestada por acciones violentas es quebrar los deberes religiosos.

Entonces imaginen la calamidad que significa tener trescientos millones de desocupados, cuya situación se agrava día tras día por falta de trabajo, y que por ello pierden todo su amor propio y toda confianza en Dios.

Muchas veces he planteado que *satyagraha* no admite la violencia, los saqueos, las acciones incendiarias; pero en su nombre se incendiaron edificios, se capturaron armas por la fuerza, se extorsionó dinero, se detuvieron trenes, se cortaron líneas de telégrafo, se mató a inocentes y se saquearon comercios y domicilios privados. Si hazañas como esas van a salvarme de la cárcel o del patíbulo, prefiero no ser salvado.

En un país pobre como el nuestro, la enseñanza de la artesanía cumplirá un doble propósito. Costeará la educación de nuestros hijos y les enseñará un oficio con el que podrán desempeñarse en su vida adulta, si así lo desean, para obtener el sustento. Tal sistema proporcionará a nuestros niños confianza en sí mismos.

Así como ocurre con la producción de opio, es preciso restringir la fabricación mundial de armamentos. Es probable que las armas sean más responsables que el opio de la miseria que existe en el mundo... Si en el mundo no se alimentara la codicia, no habría margen para el armamentismo.

No debe haber impaciencia, barbaridades, insolencia o presión indebida. Si queremos cultivar un verdadero espíritu de democracia, no podemos permitirnos ser intolerantes. La intolerancia traiciona la fe en la propia causa.

Hay en la multitud tantas corrientes ocultas de violencia —conscientes o inconscientes— que he rogado por una derrota desastrosa. Siempre estuve en minoría. En Sudáfrica empecé con la unanimidad general, bajé después a una minoría de sesenta y cuatro. Y hasta de dieciséis, para subir luego a una inmensa mayoría. El mejor trabajo y el más sólido se hizo en el desierto de la minoría.

Hoy día, soy un hombre más triste y, quiero creerlo, más sabio. Veo que nuestra no violencia es superficial. Nos quema la indignación. El gobierno la alimenta con sus actos insensatos. Podría decirse que su deseo es el de ver el país cubierto de muertos, incendios y pillajes, a fin de justificar su pretensión de ser el único capaz de reprimirlos. Me parece que nuestra no violencia sale más de nuestra impotencia, como si dentro de nuestros corazones acariciáramos el deseo de vengarnos no bien se nos presente la ocasión. ¿Acaso la no violencia voluntaria puede surgir de esta violencia forzada de los débiles? La que estoy tratando de realizar, ¿no es una experiencia inútil?

Le tengo miedo a la mayoría. Me da asco la adoración de una muchedumbre carente de juicio. Sentiría el terreno más firme bajo mis pies si ella me escupiera. Un amigo me advirtió que no debía explotar mi dictadura. Lejos de haberla explotado, me pregunto si no soy yo quien se deja "explotar". Confieso que le siento terror, como nunca lo sentí antes. Mi única salvación está en mi intrepidez.

Le advertí a mis amigos del Congreso que soy incorregible: toda vez que el pueblo cometa errores, continuaré confesándolos. El último tirano que reconozco en este mundo es la serena vocecita que está dentro de nosotros. Y aunque debiera contar con una minoría de uno solo, tendría el coraje de ser esa minoría desesperada. Para mí, ese es el único partido sincero.

Y si, cuando estallara la furia, ni uno solo quedara indemne, si la mano de cada cual se alzara contra el prójimo, ¿de qué serviría entonces que yo ayune hasta la agonía, después de semejante desastre? Si no son capaces de la no violencia, adopten lealmente la violencia, ¡pero sin hipocresía! La mayoría simula aceptar la no violencia... ¡Que conozca entonces su responsabilidad! Por el momento debe retardarse la desobediencia civil e imponerse por ahora una obra constructiva..., de lo contrario, nos veremos ahogados en aguas cuya profundidad ni siquiera imaginamos...

El abogado general tiene razón cuando dice que, como hombre responsable que recibió una buena porción de educación, así como experiencia en el mundo, yo debería conocer las consecuencias de mis actos. Yo sabía que jugaba con fuego, y corrí el riesgo: si me pusieran en libertad, volvería a empezar. He reflexionado maduramente estas noches. Esta mañana sentí que no cumpliría con mi deber si no dijera lo que digo en este momento. Me he empeñado y sigo empeñado en evitar la violencia. La no violencia es el primer artículo de mi fe, y el último. Pero debía elegir: o bien someterme a un sistema político que considero como causante de un mal irreparable a mi país, o bien correr el riesgo de ver desencadenado el furor insensato de mi pueblo cuando supiera la verdad.

Yo sé que mi pueblo se vuelve loco a veces, y me enojo profundamente. Es por eso que estoy aquí para someterme, no a un castigo leve, sino al más pesado. No pido misericordia, no alego ninguna circunstancia atenuante. Estoy aquí en prisión para pedir y aceptar gozoso la pena más alta que pueda infligirse por lo que, de acuerdo con la ley, es un delito deliberado y que me parece el primer deber de un ciudadano. ¡Jueces, elijan: dimitan o castíguenme!

La ley del amor entero —sin excepciones ni restricciones— es la ley de mi ser. Pero no predico esta ley suprema mediante las medidas políticas que preconizo: sería condenarse al fracaso por anticipado. No sería razonable esperar que las masas obedezcan actualmente esta ley... No soy un visionario: sólo pretendo ser un idealista práctico.

La purificación de sí mismo, aunque no parezca ofrecer alguna realidad palpable, es el medio más poderoso para reformular nuestro entorno y superar los escollos más pesados. Este proceso de purificación obra de un modo sutil, invisible. Pese a su aparente lentitud, a menudo fatigosa, es el medio por excelencia, el más directo, el más seguro y el más corto para alcanzar la liberación. Jamás se realizarán bastantes esfuerzos para lograrla. Pero como punto de partida debe haber una fe inquebrantable como una roca.

Un error no se convierte en verdad como resultado de la propagación multiplicada, y tampoco la verdad se vuelve un error porque nadie la percibe.

Me enoja que el gobierno me haya liberado prematuramente, por causa de mi enfermedad. Esta clase de liberación no me causa placer alguno, pues considero que la enfermedad de un prisionero no ofrece razón alguna para devolverle la libertad.

Hago un llamado a todos los que sienten un poco de amor hacia mí. ¡Únanse! Sé que la tarea es difícil; pero nada es difícil, si tenemos fe verdadera en Dios. Hindúes, mahometanos, ¡pongan fin a su mutua desconfianza! Es la debilidad lo que engendra el temor, y el temor produce la desconfianza.

Me aferro a la India como una criatura al seno materno, porque siento que es ella la que me da el alimento espiritual que necesito. Cuando ese alimento falte, seré como un huérfano. Me retiraré a las soledades del Himalaya, para cobijar ahí mi alma desgarrada...

La moralidad es la base de todas las cosas, y la verdad es la substancia de toda moralidad.

Cuando veo a un hombre cayendo en el error o hundiéndose en el vicio, me digo que eso también me pasó a mí no hace demasiado tiempo. Por eso mismo, me siento hermano de todos los hombres y, para ser feliz, tengo la necesidad de ver feliz hasta al más pequeño de mis semejantes.

La vida solitaria que llevé en África del Sur tanto como jefe de familia, abogado, reformador social o político requería para el debido cumplimiento de estos deberes una estricta regulación de la vida sexual y una rígida práctica de la no violencia y la verdad en las relaciones humanas, ya sea en las que mantenía con mis compatriotas como con los europeos. Sostengo que no soy nada más que un hombre común con menos capacidades que las comunes. Tampoco puedo afirmar que tengo algún mérito especial por la no violencia o la continencia, puesto que he podido llegar a eso sólo tras laboriosas búsquedas. No tengo la menor sombra de duda que cualquier hombre o mujer podría lograr lo que he hecho si realizara el esfuerzo que yo hice y cultivara la misma esperanza y la misma fe.

Si Dios quiere enviarme a Occidente, iré allá para tocar el corazón de las masas, para hablar con toda serenidad con la juventud de esos países y, finalmente, para tener el privilegio de reunirme con hombres que, como yo, buscan la paz a toda costa, pero jamás menoscabando la verdad.

Jamás en mi vida fui culpable de decir cosas de un modo distinto del modo en que las veía: mi naturaleza me conduce en línea recta a la esencia de las cosas. Y si muchas veces me equivoco en este camino, tengo la certeza de que la propia verdad, en última instancia, se hará oír y sentir por sí misma, como ya ocurrió muchas veces en mi vida.

Quienes consideren que la no violencia es el único método para lograr una libertad genuina, que mantengan encendida su lámpara en el seno de la impenetrable tiniebla actual. La verdad de unos pocos prevalecerá: la falsedad de millones se dispersará como una cáscara seca en el viento.

Las fugaces vislumbres que he podido tener de la verdad, difícilmente pueden dar una idea del brillo indescriptible de la verdad, un millón de veces más intenso que el del sol que vemos diariamente con nuestros ojos. En realidad, lo que he captado es apenas un débil centelleo del poderoso resplandor. Lo que sí puedo afirmar con certeza, como resultado de mis experiencias, es que una perfecta visión de la verdad adviene tras una realización completa de la *ahimsa* [no violencia].

Desconfío de quienes proclaman su fe a los otros, en especial cuando pretenden convertirlos. La fe no existe para ser predicada, sino para ser vivida. Es entonces cuando se propaga por sí misma.

El autosacrificio de un único hombre es millones de veces más poderoso que el sacrificio de un millón de hombres que mueren matando a otros.

Las Escrituras jamás pueden trascender la razón y la verdad. Existen precisamente para purificar la razón y para iluminar la verdad... Tratándose de seres humanos, el sentido de la palabra va adquiriendo transformaciones progresivas. Por ejemplo, la palabra más rica, Dios, no posee el mismo significado para todos los hombres. Todo depende de la experiencia de cada cual.

La prueba de que uno experimenta dentro de sí mismo la presencia real de Dios no procede de una evidencia extraña a nosotros, sino de una transformación de nuestra conducta y de nuestro carácter. El testimonio nos lo brinda la experiencia ininterrumpida de sabios y de profetas, pertenecientes a todos los países. Quien rechace este dato tan certero estaría renegando de sí mismo.

La identificación con todo lo que vive es imposible sin la autopurificación, y sin autopurificación la observancia de la ley de la no violencia es un sueño sin contenido. Dios no será jamás percibido por quien no tenga el corazón puro. Por lo tanto, la autopurificación se traducirá en purificación de todos los rumbos de la vida. Dado que la purificación es altamente contagiosa, la purificación de uno mismo conduce necesariamente a la purificación de lo que nos rodea.

Soy apenas un pobre luchador, cuya alma aspira al bien perfecto, a la verdad completa, y a la no violencia sin defectos, no apenas en mis actos y palabras, sino también en mis pensamientos. Hasta aquí no he alcanzado este ideal, cuyo fundamento me resulta inconmovible. La ascensión es penosa, pero me agrada enfrentar las dificultades del trayecto, ya que cada paso me hace más fuerte y más apto para dar el siguiente.

Tengo buenas razones para afirmar que un niño podría llegar a hacer lo mismo que yo. Los instrumentos que permiten acercarse a la verdad tienen un manejo muy sencillo, aunque a algunos pueden parecerles complicados. Puede ser que una persona arrogante nunca consiga aprenderlo, mientras que para un niño inocente será como un juego. Para merecer la verdad, hay que ser más humilde que el polvo.

No suspiro por el martirio, pero si eso me sucediera, en el sendero que considero mi deber en defensa de la verdad que profeso, entonces lo habré merecido.

No comparto la idea de que en la tierra hay o habrá una única religión. Por eso, lucho para descubrir un factor común y también para inducir la tolerancia mutua.

Ver cara a cara al universal y omnipenetrante espíritu de la verdad supone ser capaz de amar hasta a la criatura más insignificante como si se tratara de uno mismo. El hombre que a eso aspire no tiene que mantenerse alejado de ningún campo de la vida. Tal es el motivo de que mi devoción a la verdad me haya impulsado al campo político. Puedo asegurar sin la mínima vacilación —aunque con toda humildad— que quienes afirman que la religión no tiene nada que ver con la política no conocen el significado de la religión.

La máxima honra que podrían hacerme mis amigos es tratar de realizar en sus vidas el ideal por el que vivo. O si no, oponerme la mayor resistencia posible, si acaso no tuvieran fe en mi ideal.

He dejado que algunos de mis amigos digan que la verdad y la no violencia estaban fuera de lugar en la política y las demás cuestiones temporales. Esa no es mi opinión. No empleo tales medios para asegurar mi salvación personal. Intento servirme de ellos en todas las instancias de mi vida cotidiana.

La lucha *satyagraha* es para los fuertes de espíritu, no para los dubitativos o los tímidos. *Satyagraha* nos enseña el arte del vivir, así como del morir. Entre los mortales, el nacimiento y el fallecimiento son inevitables. Lo que diferencia al hombre del bruto es su puja consciente para realizar en sí mismo al espíritu.

Hagamos de la verdad y de la no violencia un asunto de práctica grupal, comunal, e inclusive nacional, en vez de una simple práctica individual. Tal es mi sueño. Viviré y moriré para verlo realizado. Diariamente, mi fe me ayuda a descubrir nuevas verdades.

Aun en la más negra desolación, cuando ya no parece haber auxilio y consuelo en este vasto mundo, Su nombre me llena de fuerza y disuelve todas las dudas y toda nuestra desesperación.

Crezco diariamente en el conocimiento *satyagraha*. No poseo libros de texto para consultarlos en caso de necesidad, ni siquiera el *Baghavad Gita* al que considero mi diccionario... Creo en el caminar a solas. Solo vine al mundo. Caminé solo por el valle de la sombra de la muerte y partiré solo cuando llegue la hora... El amor jamás reclama, siempre es ofrenda. El amor sufre siempre, jamás se resiente, nunca promueve la venganza.

Después de mi desaparición, no habrá ninguna persona capaz de representarme por completo. Pero con seguridad, una parte de mí mismo seguirá viviendo en cada uno de ustedes. En gran parte, el vacío se llenará si cada uno se diluye al frente de la causa a la cual, siguiéndome a mí, quiere servir.

El Amor Incondicional

*E*l monje trapense Thomas Merton, gran estudioso de la no violencia y los votos por la verdad que orientaron la vida de Gandhi, dijo: "Fue alguien al mismo tiempo hindú y universal. No era una mente de odio, intolerancia, recriminación, rechazo o división. Era una mente de amor, comprensión y capacidad infinita".

Resaltó además que, en la mente gandhiana, la no violencia no era tan sólo una táctica política que fue supremamente útil y eficaz durante la lucha de liberación del yugo extranjero, a partir de la cual la India debía concentrarse en realizar su propia identidad nacional. Fue mucho más que eso: el desafío de consolidar en sí mismo una unificación espiritual. Por consiguiente, era menester asumir **ahimsa** y **satyagraha** no como un medio para alcanzar tal unidad, sino como un fruto amoroso de esa unidad prealcanzada.

Un término de uso inequívoco en la India es **prema**, que se refiere a la sublimación espiritual del amor y, por *supuesto, se proyecta hasta significar "amor divino". En Gandhi, la práctica de la no violencia llevaba implícita un amor universal, o sea, una entrega constante al servicio desinteresado. Que se encuentra en todos los momentos de la historia humana y en múltiples latitudes, encarnado por individuos que la humanidad reconoce como profetas o como santos. Pero Gandhi no era un iluso: sabía que el amor solamente no puede ser generador de la paz en el mundo, que para resolver las crisis creada por las tendencias económicas e industriales modernas hacen falta sólidas soluciones materiales. Y comentaba con ironía: "la gente me describe como un santo que quiere volverse político, pero la verdad es que las cosas son al revés".*

Preconizaba sin cesar que uno debe convertirse en el cambio que desea ver en el mundo, y que donde hay amor hay vida. Pero en vísperas del atentado que lo abatió rumbo a sus plegarias cotidianas, se sentía triturado por la tragedia que representaba —a la hora de la independencia— la división del subcontinente en dos naciones separadas: India (para los hindúes) y Pakistán (para los musulmanes). Gandhi comentó entonces: "La partición es una tragedia espiritual. No concuerdo con lo que mis amigos más próximos hicieron o están haciendo. Treinta y dos años de trabajo han llegado a un final sin gloria". No hubo ningún mensaje suyo a la flamante nación. Motines en Calcuta y cruentos incidentes comunales lo indujeron a iniciar una severa huelga de hambre (ayuno extremo de protesta). Tuvo efecto momentáneo. Lamentó las tremendas atrocidades fraticidas cometidas por doquier. Migraciones masivas (unos seis millones de hindúes y sikhs {secta religiosa originaria del Punjab} salieron hacia la India desde el Pakistán, y unos seis millones y medio de musulmanes marcharon en sentido inverso) ensangrentaron la región, con medio millón de muertes.

Lo que más acongojaba a Gandhi eran los grupos étnicos que decidían no abandonar sus hogares ancestrales, y se convertían en minorías amenazadas dentro de su "ex país". Sostuvo que el deber de ambos gobiernos era proteger a esas minorías. El 12 de enero (a fin de ese mes lo asesinaría un fundamentalista hindú) de 1948, desgarrado por la violencia reinante, emprendió otro ayuno riguroso y expresó: "No tengo respuestas para mis amigos musulmanes que vienen a verme día tras día para preguntarme qué hacer. Últimamente, me ha estado royendo la impotencia".

Una semana después, supo que un Comité de Paz, con miembros de todas las comunidades, había firmado un pacto de amistad fraternal para proteger la vida, la propiedad y la fe de la minoría musulmana. Dijo entonces: "Admito mi error. Creía que nuestra lucha se basaba en la no violencia, cuando en realidad no fue otra cosa que resistencia pasiva, que esencialmente es el arma de los débiles. No bien resulta posible, lleva naturalmente a la lucha armada".

La India fue proclamada república soberana en 1950 y el Pakistán fue declarado república islámica en 1956: sus choques bélicos por el dominio de la región de Cachemira se volvieron endémicos. Ambas naciones desarrollaron programas nucleares con auxilio tecnológico de las potencias enfrentadas durante la Guerra Fría. Concretada la independencia nacional, Gandhi, ya un anciano de setenta y ocho años a quien llamaban cariñosamente **Bapu** (padre), vislumbró que su creciente fracaso político se debía a que sus seguidores no habían alcanzado la unidad interior que él había logrado. La presunta **satyagraha** de las masas era un espejismo: la habían visto como un recurso estratégico para conquistar la unidad y la libertad, mientras él lo asumía como una conquista espiritual preliminar, un primer paso hacia un estado superior de conciencia: el amor universal.

"Tan pronto como el fin de corto plazo fue conquistado, la **satyagraha** fue descartada por la multitud. No se alcanzaban la paz interior ni la unidad íntima, sólo las mismas divisiones, los conflictos y los escándalos que fragmentaban al resto del mundo", concluyó el padre Merton.

Ante un mundo saturado de odio y falsedad, negador de la compasión y la tolerancia, el amor incondicional de Gandhi continúa siendo la más subversiva de las militancias: "Si el amor (o la no violencia) no es la ley de nuestro ser, todos mis argumentos se hacen añicos".

El amor es la mayor fuerza del mundo y, al mismo tiempo, la más humilde que se pueda imaginar.

Si el amor o la no violencia no es la ley de nuestro ser, todos mis argumentos se hacen añicos.

La humanidad tiene que salir de la violencia sólo a través de la no violencia. El odio puede ser vencido únicamente por el amor. El contra-odio sólo incrementa la superficie y la profundidad del odio.

El hecho de que en nuestro planeta sigan viviendo todavía tantos hombres, demuestra que el mundo tiene como fundamento, no la fuerza de las armas sino la de la verdad y la del amor. El hecho de que nuestro mundo siga viviendo todavía, a pesar de tantas guerras, demuestra palpablemente y de la manera más irrefutable que esta fuerza es victoriosa.

He observado que las peores destrucciones jamás logran que la vida desaparezca por completo. Por consiguiente, debe haber una ley superior a la de la destrucción. Sólo esa ley suprema puede dar sentido a nuestra vida y establecer la armonía indispensable para el funcionamiento del andamiaje social. Y si ésa debe ser nuestra ley, deberemos esforzarnos cuanto podamos para que sea la norma de nuestra vida cotidiana. Siempre que surge la discordia, cuando uno choca con la oposición, hay que tratar de vencer al oponente, con el amor. Para solucionar numerosos problemas, toda mi vida he recurrido a este medio elemental. Esto no significa que haya resuelto todas mis dificultades. Lo único que he conseguido es descubrir sencillamente que la ley del amor es más eficaz que la voz de la violencia.

La que rige a la humanidad es la ley del amor. Si la violencia, o sea, el odio nos hubiera regido, nos habríamos extinguido hace muchísimo tiempo. Y sin embargo, la tragedia de ello es que en la llamada civilización, los hombres y las naciones se conducen como si la base de la sociedad fuese la violencia.

La existencia de millones de hombres depende de la intervención sumamente eficaz de esta fuerza. Gracias a ella vemos cómo se disipan las pequeñas peleas que entorpecen la vida cotidiana de millones de familias. Centenares de pueblos viven en paz. Este hecho no lo reseña ni puede reseñarlo la historia. La historia, como es lógico, registra los acontecimientos que corresponden a una detención momentánea en el funcionamiento de esa fuerza del amor o fuerza del alma. Riñen dos hermanos; uno de ellos se arrepiente y despierta así aquel amor que dormitaba en él: los dos viven de nuevo en paz. De este episodio no hay nadie que tome nota. Por el contrario, la prensa recogerá enseguida el hecho, hablarán de él todos los vecinos y hasta la historia conservará en parte su recuerdo, si esos dos hermanos recurren a la guerra o, lo que es otra forma de intervención brutal, apelan a la justicia, tras una consulta con sus consejeros jurídicos o por cualquier otra razón. Y esto, que es verdad en las familias y en las demás comunidades, no es menos cierto en las naciones. Nada nos autoriza a creer que las naciones son gobernadas por una ley distinta de la de las familias. De este modo, la historia se contenta con registrar las interrupciones que sufre el curso natural de las cosas. Pero como la fuerza del alma es natural, la historia no habla de ella.

En mis escritos no puedo tolerar la mínima concesión a la mentira. Estoy dispuesto a rechazar todo lo que se consiga con desmedro de la verdad y, por otra parte, estoy sólidamente convencido de que no hay más religión que la verdad. También sería inconcebible encontrar en mis escritos una sola nota de odio. ¿No es el amor lo que hace vivir al mundo? Donde no está presente el amor, no existe vida. La vida sin amor conduce a la muerte. El amor y la verdad representan las dos caras de una misma moneda. Estoy seguro de que por medio de estas dos fuerzas se puede conquistar el mundo entero.

Tras renunciar a la espada, no tengo otra cosa que ofrecer a mis adversarios que la copa del amor. Gracias a esta ofrenda, creo que me aproximaré a ellos. Considero inconcebible una enemistad perpetua entre los hombres. Y como creo en la teoría de la reencarnación, espero que podré en esta vida o en la siguiente reunir a toda la humanidad en un único vínculo de amistad.

No vacilo en unirme a los que dicen: "Dios es amor". Pero en lo más hondo de mí mismo me digo que, si Dios es amor, es ante todo verdad. Si existe una palabra para describirlo de la forma más completa, la de verdad es la que mejor le calza. Dos años atrás di un nuevo paso, concluyendo que la verdad es Dios. Puede hacerse una delicada distinción entre ambas afirmaciones: "Dios es verdad" y "La verdad es Dios". Llegué a esta conclusión después de cincuenta años de búsquedas incesantes e incansables a propósito de la verdad. Pero, al mismo tiempo, comprobé que en inglés la palabra *love* tiene numerosos significados y que, entre otros, puede evocar algo degradante, cuando designa ciertas pasiones humanas. También me di cuenta de que el amor, en el sentido de *ahimsa* [no violencia], no tenía muchos adeptos. Pero nunca he visto que la palabra "verdad" se prestara a equívocos. Ni siquiera los ateos han dudado alguna vez de la fuerza irresistible de la verdad, aunque en su afán por descubrir la verdad no hayan vacilado en negar la mismísima existencia de Dios, lo cual era normal si tenemos en cuenta su especial punto de vista. Por eso tuve que decir: "La verdad es Dios", en vez de "Dios es verdad". Tampoco hay que perder de vista que en nombre de Dios se cometieron millones de atrocidades. He de reconocer, sin embargo, que también los sabios cometieron otras tantas en nombre de la verdad. En fin, según la filosofía hindú, sólo Dios posee el ser, o sea, la verdad, y nada existe fuera de él... De hecho, el término sánscrito que indica la verdad es *sat*, que literalmente significa "lo que existe". Por eso encuentro tan satisfactoria la definición: "La verdad es Dios". Para estar seguro de ello, el único medio es el amor, es decir, la no violencia. Y como en definitiva, a mi entender, el fin y los medios son realidades intercambiables, no tengo reparos en decir que Dios es amor.

Yo sé que esto no puede ser probado con argumentaciones. Debe ser probado por personas que lo viven en sus vidas sin tomar en cuenta las consecuencias que pueda acarrearles.

Tal fuerza, ¿es benévola o dañina? Para mí no cabe duda: es profundamente benévola. Porque la vida sigue palpitando en el corazón mismo de la muerte. La verdad irradia a pesar de la mentira que la rodea y la luz brilla en medio de las tinieblas. De aquí deduzco que Dios es vida, verdad y luz. Es amor. Es el Dios supremo.

La voz de Dios ha sido crecientemente audible a medida que avanzaban los años. Nunca me ha olvidado, ni siquiera en mis horas más oscuras. A menudo me ha salvado inclusive a mi pesar y no me dejó un vestigio de independencia. Cuando mayor ha sido mi sometimiento a él, más grande ha sido mi alegría.

Para mí, Dios es verdad y amor. Es el bien, la fuente de la moral. En Él no cabe temor alguno. De Él vienen la luz y la vida; pero Él está por encima y más allá. Dios es conciencia moral. Él es inclusive el ateísmo del ateo. Trasciende la palabra y la razón. Es un Dios personal para quienes anhelan su presencia personal. Está encarnado para quienes procuran su presencia tangible. Es la esencia más pura. Para quienes tienen fe, simplemente es. Para todos, es todo lo que es. Está en nosotros y más allá. Es indulgente y paciente; aunque también terrible. Para Él, la ignorancia no es una excusa. Y al mismo tiempo es siempre misericordioso, porque siempre nos da la ocasión para arrepentirnos.

El conocimiento de las cosas de Dios no se encuentra en los libros. Pertenece al terreno de la experiencia vivida personalmente. Los libros son, en su mejor expresión, una ayuda; pero a veces son un obstáculo.

Una fuerza misteriosa e inefable penetra todo cuanto existe. La siento, aunque no la veo. Esa Fuerza invisible se hace sentir, a pesar de la imposibilidad en que me encuentro de probar su existencia, dada su diferencia de todo cuanto mis sentidos pueden percibir. Aunque Dios trascienda toda realidad sensible, hasta cierto punto se puede saber que Él existe mediante la razón.

Mientras todo cambia y todo muere a mi alrededor, percibo vagamente, bajo esas apariencias cambiantes, una fuerza de vida que permanece inmutable y sostiene a todos los seres. Creados por ella, se disuelven luego en ella para ser creados de nuevo. Dicha fuerza, ese Espíritu que da forma a todas las cosas, no es nada más que Dios. Y como nuestros sentidos no nos muestran nada subsistente, de ello deduzco que solamente lo es Dios.

De un modo u otro, sé encontrar en la humanidad lo más noble que existe en ella. Esto es lo que me permite conservar la fe en Dios y en la naturaleza humana.

En un mundo "lleno de tinieblas" me he abierto un camino hacia la luz. Frecuentemente me engaño y cometo errores de cálculo. Confío solamente en Dios;

y como creo en Él, confío también en los hombres. Si no tuviera a Dios para poner mi confianza en Él, sería un hombre lleno de odio hacia sus semejantes.

Lo que nos dirige a través de océanos turbulentos es la fe. La fe mueve las montañas y nos transporta a la otra orilla del río. Esa fe no es más que una vida totalmente impregnada de la certeza clara y consciente de que Dios está en nosotros. Quien posee esta fe no desea nada más. Aunque esté físicamente enfermo, está espiritualmente sano. Puede no tener un centavo, pero no le importa: todas las riquezas del espíritu son suyas.

Ningún hombre ha sido capaz de describir íntegramente a Dios. Lo mismo sucede con la *ahimsa*.

Para mí, patriotismo rima con humanidad. Soy patriota porque soy hombre y humano. Este sentimiento no lleva consigo nada exclusivo. No tengo la intención de perjudicar a Inglaterra o a Alemania, para servir a la India. El imperialismo no tiene sitio alguno en mis proyectos. La ley de un patriota no difiere de la de un patriarca. Y un patriota es tanto menos patriota cuanto más se manifiesta como tibio humanitario. No existe ningún antagonismo entre el terreno privado y el político.

No tengo nada nuevo para enseñarle al mundo. La verdad y la no violencia se remontan a la noche de los tiempos... Todas mis acciones tienen su fuente en mi amor inalterable a la humanidad.

No tengo la mínima duda de que cualquier hombre o mujer puede alcanzar los mismos resultados que yo, si realiza los mismos esfuerzos y posee la misma esperanza y la misma fe.

Ya tomé mi decisión. En el camino solitario que emprendí en procura de Dios, no tengo necesidad de ningún compañero de ruta. Dejad, por lo tanto, a los que quieran hacerlo, que denuncien al impostor que imaginan ver en mí, aunque tal demostración no resulte fácil de comprobar. Puede ser que esto decepcione a los millones de fieles que siguen considerándome como un *mahatma* o "gran alma". Confieso que me alegra vivamente la idea de ser yo mismo quien va minando mi pedestal.

Cuando se trata de defender una gran causa, no es el número de partidarios lo que cuenta, sino la cualidad de su ser. Los hombres más ilustres de la historia se han encontrado siempre solos en el momento del combate. Por ejemplo, así sucedió con los grandes profetas: Zoroastro, Buda, Jesús, Mahoma y muchos otros cuyos nombres podría citar. Tenían fe en sí mismos y en Dios, en un Dios vivo. Y convencidos de que Dios estaba a su lado, nunca se sintieron abandonados.

La no violencia no consiste en amar a los que nos aman. La no violencia comienza a partir del instante en que amamos a los que nos odian. Conozco perfectamente las dificultades de este gran mandamiento del amor. ¿Pero no pasa lo mismo con todas las cosas grandes y buenas? Lo más difícil de todo es amar a los enemigos. Si realmente queremos llegar a ello, la gracia de Dios vendrá a auxiliarnos para superar los más temibles obstáculos.

El alfabeto de la *ahimsa* se aprende mejor en la escuela comunitaria; a partir de la experiencia puedo decir que si tenemos éxito allí, con toda seguridad lo obtendremos en cualquier parte. Para una persona no violenta, el mundo entero es una única familia. Así no temerá a nadie, y nadie le tendrá miedo.

Mi optimismo reside en un credo sobre las infinitas posibilidades de que el individuo desarrolle la no violencia. Cuanto más se desarrolla en el propio ser, más contagiosa se vuelve hasta que se apodera del entorno y, paso a paso, puede abarcar el mundo.

Como animal, el hombre es violento. Pero como espíritu es no violento. En el momento en que despierta hacia su espíritu interno, no puede per-

sistir en la violencia. O progresa hacia la *ahimsa* o
marcha hacia su perdición.

Quien está totalmente inmerso en Dios, se pone
en sus manos sin preocuparse de éxitos o fracasos:
se lo ofrece todo a Él. Como yo no he llegado todavía a ese estado, debo asumir que mis esfuerzos son
insuficientes.

Varias vidas como la mía deberán ser entregadas
para que la terrible violencia extendida por todas
partes se detenga y la no violencia reine de modo supremo en su lugar.

Si las Grandes Potencias pudieran abandonar
el miedo a la destrucción, si se desarmaran, ayu-
darían automáticamente al resto del mundo a re-
cuperar su cordura. Pero entonces esas Grandes
Potencias deberían abandonar sus ambiciones imperialistas y su explotación de las naciones de la
Tierra llamadas incivilizadas o semicivilizadas, y

revisar su estilo de vida. Ello significaría una revolución absoluta.

La *ahimsa* es la única fuerza verdadera en la vida. Es lo único permanente, lo único que cuenta; todo esfuerzo que hagas para lograr su maestría será bien aplicado.

Una persona que, en su vida, expresa la *ahimsa*, ejerce una fuerza superior a todas las fuerzas de la brutalidad.

Si no existiera la ambición, no habría tampoco pretexto alguno para armarse. El propio principio de la no violencia exige que se renuncie a toda forma de explotación.

Apenas deje de existir esa mentalidad de explotador, la carga que sobre nuestros hombros ejerce el peso de todos esos armamentos nos resultaría insoportable. No puede haber un desarme verdadero, mientras las diversas naciones del globo se sigan explotando entre sí.

Sin el reconocimiento de la no violencia a escala nacional, no existe tal cosa como un gobierno democrático o constitucional.

Una de las leyes de la naturaleza es la atracción universal. El amor mutuo es el que le permite vivir y seguir adelante. No son las fuerzas de destrucción las que hacen vivir al hombre. Hasta el mero amor a sí mismo, bien comprendido, supone un mínimo de consideración hacia los demás. La cohesión de las naciones está hecha de esa reciprocidad de consideraciones que se da entre los ciudadanos. Algún día habrá que extender al universo entero esta alianza nacional, lo mismo que tuvo que ampliarse a las dimensiones de un país la solidaridad que siempre caracterizó a la familia.

La mejor preparación para la no violencia y hasta la mejor expresión de ella reside en la prosecución decidida de un programa constructivo... Quien no cree en el programa constructivo carece, según mi opinión, de un sentimiento concreto hacia los millones de muertos de hambre. Quien esté privado de ese sentimiento es incapaz de luchar no violentamente. En la práctica real, la expansión de mi no violencia tiene que mantenerse exactamente a la par de mi identificación con la humanidad famélica.

Mientras no hayamos cultivado la fortaleza de morir con coraje y amor en nuestros corazones, no podremos esperar el desarrollo de la *ahimsa* de los fuertes.

La paz jamás se producirá mientras las Grandes Potencias no decidan valientemente desarmarse a sí mismas.

Afirmo sin arrogancia alguna —si eso es posible, y con toda humildad— lo siguiente: mi mensaje y mis métodos están esencialmente dirigidos al mundo entero. Veo con profunda satisfacción la maravillosa acogida que ya se les ha tributado en Occidente, en el corazón de un gran número de hombres y de mujeres que no cesa de aumentar día tras día.

Lo que más amo en el mundo es la no violencia. Sólo puede igualarse a ese amor, el amor a la verdad. Esos dos amores son idénticos, ya que sólo la no violencia permite alcanzar la verdad. Si mi vida está allí para demostrar que miro con ojos iguales a todos los adeptos de las diferentes religiones, también es verdad que no hago ninguna distinción entre las diversas razas. Para mí, un hombre es siempre un hombre.

La tarea que enfrentan los devotos de la no violencia es muy difícil, pero ninguna dificultad puede abatir a los hombres que tienen fe en su misión.

Si continúa siendo violento, el pueblo de Europa sucumbirá sin duda alguna.

Llevará mucho tiempo universalizar la *ahimsa* ilimitada. Tendremos amplios motivos para congratularnos, si en la sociedad aprendemos a sustituir la ley de la jungla por la ley del amor y si, en vez de anidar en nuestros pechos la inquina y la hostilidad hacia quienes consideramos como nuestros adversarios, aprendemos a amarlos como amigos reales y potenciales.

Imagino que sé lo que significa vivir y morir como no violento. Pero me falta demostrarlo mediante un acto perfecto.

Bajo el imperio de la no violencia, todo pensamiento genuino cuenta; cada voz auténtica alcanza su pleno valor.

No siento ninguna atracción por el prestigio, simple adorno que más se corresponde con la corte de un rey. Soy servidor de los musulmanes, los cristianos, los parsis y los judíos, tanto como de los hindúes. Y para servir, lo que se necesita es amor, no prestigio. Mientras siga siendo fiel a la causa que sirvo, no habrá miedo de que me falte amor.

Un soldado de la paz, a diferencia del de la espada, tiene que dedicar la totalidad de su tiempo libre a la promoción de la paz tanto en tiempos de guerra como en tiempos de paz. Su trabajo durante la época de paz es tanto una medida de prevenir el tiempo de la guerra, como de prepararse para ello en caso de que se presente.

En el auténtico sentido de la palabra, la civilización no consiste en multiplicar las necesidades sino en limitarlas voluntariamente. Ese es el único medio para conocer la felicidad verdadera y volvernos disponibles para los demás.

Es mi deber seguir convirtiendo a mis adversarios, si no quiero reconocer mi propia derrota. Tengo la misión de convertir a la no violencia a los hindúes, a los ingleses y finalmente al mundo entero, para suprimir todas las injusticias en las relaciones políticas, económicas, sociales y religiosas. Si se me acusa de ser demasiado ambicioso, reconoceré que soy culpable. Si me dicen que jamás veré realizados mis sueños, responderé que esos sueños no tienen nada de imposible y seguiré adelante por mi sendero. Soy un soldado al servicio de la no violencia y para sustentar mi fe palpo más de un signo prometedor y estimulante. Seguiré adelante en mi empeño, sea cual fuere el número de mis discípulos, y aunque no tenga más que uno.

No es que nunca me enoje; lo que sucede es que no le doy curso libre a mi enojo. Para suprimir todo impulso de cólera, me esfuerzo en cultivar la paciencia y la verdad y así es como generalmente lo consigo. Me esfuerzo en controlar mi cólera apenas se hace sentir dentro de mí. Sería inútil preguntarme cómo lo hago. Se trata de un hábito que todos tienen que cultivar y adquirir a fuerza de constancia.

No veo nada más noble y nada mejor en cuestión de civismo que obligarnos todos, por ejemplo, una hora al día, a realizar el mismo trabajo que los pobres, para identificarnos con ellos y, mediante ellos, con toda la humanidad. No veo nada mejor para adorar a Dios que decidirme en su nombre a entregarme por entero al mismo trabajo que realizan los pobres.

No quiero pronunciar juicios sobre el mundo y sus fechorías. Puesto que yo soy imperfecto y necesito la tolerancia y la bondad de los demás, también he de tolerar los defectos del mundo hasta que pueda encontrar el secreto que me permita ponerles remedio.

El verdadero soldado de la India es el que teje para vestir a los desnudos y el que labra el suelo para enfrentar la amenazadora crisis alimentaria.

Soy lo bastante consciente de las imperfecciones de la especie a la que pertenezco, como para irritarme contra cualquiera de mis semejantes. Del mismo modo que no me gustaría tener que sufrir por las faltas de las que me siento continuamente culpable, también, cuando se trata de los demás, hago lo posible por combatir el mal donde sea, sin dañar nunca a quien sea su responsable.

Me han tomado por un excéntrico, por un maniático, por un loco. Evidentemente, se trata de una fama bien merecida. Pues por todos los sitios adonde voy, acuden a mí los desequilibrados, los originales y los locos.

Tengo como finalidad el ganarme las amistades del mundo entero. Pero puedo combinar perfectamente el amor más elevado con la oposición más irreductible a todo lo que sea injusto.

Imperfecto como soy, comencé con hombres y mujeres imperfectos, por un océano sin rutas.

Cuanto más la practico, con mayor claridad advierto lo lejos que estoy de la plena expresión de la *ahimsa* en mi vida.

Mi arma mayor es la plegaria muda.

La plegaria es la primera y la última lección para aprender el noble y bravío arte de sacrificar el ser en los variados senderos de la vida, culminando en la defensa de la libertad y el honor de la propia nación.

La plegaria no es un entretenimiento ocioso para alguna anciana. Entendida y aplicada adecuadamente, es el instrumento más potente para la acción.

Indudablemente, la plegaria exige una fe viva en Dios. La *satyagraha* [fuerza y verdad del alma] exitosa es inconcebible sin tal fe. Dios puede ser llamado con cualquier otro nombre, en tanto sea una connotación de la Ley de la Vida. En otras palabras, la Ley y el Dador de la Ley, fusionados.

La plegaria desde el corazón puede lograr lo que ninguna otra cosa es capaz de alcanzar en el mundo.

Los medios impuros desembocan en fines impuros.

Dios es el mayor demócrata que haya conocido el mundo, ya que, para que podamos escoger mejor entre el bien y el mal, no ejerce la más mínima presión sobre nuestra libertad... Pero el sendero de la purificación es duro de seguir y difícil de ascender. Para llegar a una pureza perfecta, hay que librarse de toda pasión en nuestros pensamientos, en nuestras palabras y en nuestras obras. Además, hay que saber elevarse por encima de las fuerzas opuestas del odio y del amor, de la repugnancia y de la simpatía. Sé muy bien que todavía no he llegado a ese triple aspecto de la pureza, a pesar de los esfuerzos que he realizado sin descanso. Por ello, las alabanzas no me causan ninguna gracia; corrientemente me irritan. Dominar las pasiones más ocultas me parece mucho más duro que conquistar militarmente el mundo con la fuerza de las armas.

Nos hemos ido haciendo un poco la idea de que el arte es independiente de la pureza de nuestra vida privada. Basándome en hechos concretos, puedo decir que no hay nada tan falso como eso. Cuando ya me estoy acercando al final de mi vida terrena, me atrevo a afirmar que la pureza de vida es el arte más auténtico y más elevado de todos. Quienes pueden educar su voz para distinguirse en el arte del canto son muchos, pero son muy raros los que tienen el arte de producir la música armoniosa que brota de una vida pura.

Si no tenemos miedo de los hombres y buscamos sólo la verdad de Dios, estoy seguro de que todos podremos ser sus mensajeros. En lo que a mí respecta, creo sinceramente que respondo a estas dos condiciones.

Un error no se convierte en verdad por el hecho de que todo el mundo crea en él. Tampoco una verdad puede transformarse en error cuando nadie se adhiere a ella.

Digan lo que digan, y aunque fuese verdad que he perdido la estima y la confianza de muchos de mis amigos de Occidente, no quiero por nada del mundo apagar esa vocecita de mi conciencia ni la expresión de lo que hay más profundo dentro de mí. Un impulso irresistible me mueve a gritar mi angustia. Conozco perfectamente su causa. Esa voz interior no me engaña jamás. Y ahora me dice: "Manténte firme, aunque te quedes solo y todo el mundo esté en tu contra. Míralos fijamente a los ojos, aunque los tengan inyectados de sangre. No tengas miedo. Confía en esa vocecita del corazón que te pide estar dispuesto a abandonar amigos, esposa, bienes, cualquier cosa. Dispónte a morir para dar testimonio de lo que da sentido a tu vida".

La verdad jamás daña a una causa que es justa.

No escuches a los amigos cuando el Amigo interior dice: "¡Haz esto!".

Nunca hay que pactar con el error, aun cuando aparezca sostenido por textos sagrados.

Siempre he creído que cada uno debía obrar según su propia conciencia, aun cuando fuese criticado por los demás. La experiencia ha confirmado a mis ojos la razón de este principio. Es lo que dijo el poeta: "El sendero del amor pasa por la prueba del fuego; los temerosos se apartan de él". El sendero de la *ahimsa*, o sea, del amor, tiene que ser recorrido muchas veces en medio de la soledad.

La voz interior me dice que prosiga combatiendo contra el mundo entero, aunque me encuentre solo. Me dice que no tema a este mundo sino que avance, llevando en mí nada más que el temor a Dios.

Para aplicar esta fuerza con provecho, es indispensable admitir la existencia del alma como principio permanente y distinto del cuerpo. Esta creencia debe ser objeto de una fe viva y no de una simple adhesión intelectual.

No se nos otorgará la libertad externa más que en la medida exacta en que hayamos sabido, en un momento determinado, desarrollar nuestra libertad interna. Y si es cierta esta apreciación de la libertad, deberemos consagrar todas nuestras energías a reformarnos interiormente.

La causa de la libertad se convierte en una burla si el precio a pagar es la destrucción completa de quienes deberían disfrutar la libertad.

No sería capaz de llevar una vida religiosa sin identificarme por completo con la humanidad entera: esto no puedo hacerlo sin participar de la vida política. En la actualidad, el panorama de las variadas actividades humanas constituye un todo indivisible. No hay compartimentos estancos entre nuestras actividades sociales, económicas, políticas y las exclusivamente religiosas. No conozco una religión que sea extraña a la actividad humana. Sin su ayuda, todos nuestros actos se verían privados de su fundamento moral y, en consecuencia, la vida no sería más que una pesadilla absurda, "hecha de una barahúnda incoherente".

Lo mismo que un árbol tiene un solo tronco y múltiples ramas y hojas, también hay una sola religión verdadera y perfecta, pero diversificada en numerosas ramas, por intervención de los hombres. La religión única está más allá de toda palabra. No obstante, para dar cuenta de ella no tenemos otro remedio que recurrir al lenguaje. Pues bien, las palabras necesarias han sido buscadas e interpretadas por unos hombres que no son perfectos. De las diferentes interpretaciones propuestas, ¿cuál es la verdadera? Cada cual tiene razón desde su propia perspectiva, pero es imposible que todo el mundo esté equivocado. De ahí la necesidad de ser tolerante, lo cual no significa ninguna indiferencia para con la propia religión, sino la obligación de comprenderla mejor y de amarla con un amor purificado. La tolerancia está tan lejos del fanatismo como el polo norte del polo sur. El conocimiento profundo de las religiones permite derribar las barreras que las separan.

La *satyagraha* es siempre superior a la resistencia armada. Esto sólo puede ser probado con efectividad mediante la demostración, no con argumentos... La *satyagraha* jamás puede ser utilizada para una causa mala.

El entrenamiento de la *satyagraha* está destinado a todos, sin distinción de edad o sexo. Aquí, la parte más importante del entrenamiento es mental, no física. En el entrenamiento mental no puede existir la compulsión.

No existe límite alguno en la medida del sacrificio que uno debe asumir a fin de realizar la unidad con todo lo viviente, pero por cierto, la inmensidad del ideal establece un límite a tus necesidades. Esa, ya lo verás, es la antítesis de la postura de la civilización moderna que dice: "Incrementa tus necesidades". Quienes adhieren a tal credo piensan que incrementar las necesidades significa aumentar el conocimiento mediante el cual se entiende mejor lo Infinito. Por lo contrario, el hinduismo desecha la indulgencia y la multiplicación de necesidades, pues ellas impiden el propio crecimiento hacia la identidad total con el Ser Universal.

La verdadera educación consiste en obtener lo mejor de uno mismo. ¿Qué otro libro se puede estudiar mejor que el de la humanidad?

En lo referido a la curiosidad de los niños sobre los hechos de la vida, deberíamos explicárselos —si somos capaces de ello— o confesarles nuestra ignorancia, en caso contrario. Si se trata de algo que no se les debe decir, hay que reprenderles y pedirles que no planteen a nadie esas cuestiones. Nunca debemos darles falsos pretextos. Ellos saben más cosas de las que imaginamos. Si nos negamos a responder sus preguntas, se las arreglan para saber las cosas por medio de ciertos métodos discutibles. Pero si vamos a ocultárselas, deberemos aceptar ese riesgo.

El ideal de la *satyagraha* no se destina apenas a unos pocos elegidos o al santo o al vidente. Está destinado a todos.

La raíz de la *satyagraha* está en la plegaria. Un *satyagrahi* [devoto] se apoya en Dios para la protección contra la tiranía y la fuerza bruta.

Entiendo por religión no ya un conjunto de ritos y de costumbres, sino lo que está en el origen de todas las religiones, poniéndonos cara a cara con el Creador.

Comerciantes, industriales, molineros, obreros, granjeros, oficinistas, en resumen, todo el mundo, debería considerar que su deber es adquirir la necesaria capacitación en la *satyagraha*.

La espada del *satyagrahi* es el amor y la inconmovible firmeza que emana de él.

Estoy convencido de que para educar bien a los hijos, hay que saber cuidar al bebé. En diversas ocasiones comprobé las ventajas que tiene el estudio atento de estas cuestiones. Si hubiera descuidado este estudio y si no hubiera sabido sacar ventaja de mis conocimientos, mis hijos no gozarían actualmente de tan buena salud. Somos víctimas de una especie de superstición, que nos hace creer que el niño no tiene nada que aprender durante los cinco primeros años de su vida. Ocurre todo lo contrario, porque luego el niño ya no tendrá jamás ocasión para aprender las lecciones que nos enseñan esos cinco años iniciales. Su educación comienza el mismo día de su concepción.

El amor y la posesión exclusiva no pueden ir jamás a la par. En teoría, donde es perfecto el amor, tiene que haber una ausencia total de posesión. El cuerpo es nuestra última posesión. Esto es tan cierto, que un hombre es incapaz de ejercer el amor perfecto y verse completamente desposeído de todo, a no ser que esté dispuesto a abrazar la muerte y sacrificar su cuerpo en servicio de la humanidad... Pero esto sólo es verdad en teoría. En la vida cotidiana, no podemos realmente demostrar un amor perfecto, ya que nuestro cuerpo es una posesión a la cual estamos siempre ligados. El hombre conservará siempre cierta imperfección, aunque esté obligado a tender hacia la perfección. Por lo tanto, mientras vivamos, el amor o el despojamiento perfecto continuará siendo un ideal inaccesible, pero que siempre nos empeñaremos en alcanzar.

La bondad debe ir unida al conocimiento. La mera bondad humana no es de mucha ayuda, como lo he comprobado en la vida. Uno debe cultivar la fina cualidad del discernimiento que va junto con el coraje y el carácter espirituales.

He observado que las naciones, igual que los individuos, sólo hallan su realización pasando por la agonía de la cruz. La alegría no procede de los sufrimientos infligidos a los demás, sino de los que uno se impone voluntariamente.

Poco importa si lo que tienes que hacer es insignificante. Hazlo tan bien como puedas. Pon en ello tanta atención y tanto cuidado como si se tratara de lo más importante que llevas entre las manos. Serás juzgado precisamente por esas cosas pequeñas.

Los derechos que no fluyen de un deber bien cumplido no valen la pena.

Una mente que sólo se mantiene buena mediante la compulsión, no puede mejorar: de hecho, empeora.

En esta era de democracia, resulta esencial que los resultados deseados se logren por el esfuerzo colectivo de la gente. Sin duda, eso será mejor que lograr un objetivo mediante el esfuerzo de un individuo sumamente poderoso, pero que nunca tornó consciente a la comunidad de su fortaleza mancomunada.

Nuestros deseos y nuestros motivos de obrar se pueden distribuir en dos categorías. O son egoístas o son altruistas. Los deseos egoístas son inmorales, mientras que el anhelo de ser mejores para hacer el bien a los demás, es verdaderamente moral. La regla moral más elevada es que trabajemos sin descanso por el bien de la humanidad.

Todo hombre termina siendo lo que piensa, y con la India sucederá lo mismo, si persiste firmemente adherida a la Verdad por medio del amor.

Bajo ninguna circunstancia, la India e Inglaterra le darán una oportunidad razonable a la no violencia, mientras ambas sostengan la plena eficiencia militar.

Si antes de mi muerte, la India optara por la violencia, me daría exactamente lo mismo vivir en otro país. Esto no me inspiraría el menor orgullo. Mi patriotismo es solidario de mi religión. Me siento en la India como el niño en el seno de su madre, pues me doy cuenta de que ella me da todo el alimento espiritual que necesito y encuentro en ella una vida que responde a mis más elevadas aspiraciones. Si llegaran a derrumbarse las bases de ese amor, me sentiría como un huérfano que ha perdido todas las esperanzas de encontrar un tutor.

La división de la India entre la Unión Hindú y el Paquistán se ha producido a pesar de mis intervenciones. La experimento como si se tratase de una herida. Pero lo que más me ha herido ha sido la forma con que se procedió. He decidido hacer todo lo posible para apagar esta conflagración, viendo en ella un asunto de vida o muerte para mí. Amo a mis compatriotas y a los demás hombres con el mismo amor, porque Dios habita en el corazón de todos ellos y yo aspiro a la forma de vida más elevada: el servicio a la humanidad. Es cierto que nuestra no violencia era una no violencia de débiles, es decir, la negación de toda no violencia. Pero mantengo que ése no ha sido el aspecto bajo el cual yo he presentado la no violencia a mis conciudadanos. Por otra parte, si les he mostrado esta arma espiritual, no es porque fueran débiles, porque carecieran de armas y de entrenamiento militar, sino porque la historia me ha enseñado una verdad importante. Sea cual fuere la nobleza de una causa que haya que defender, el odio y la violencia comprometen la paz que se busca y hacen que se dupliquen ese odio y esa violencia. Gracias a las antiguas tradiciones de los videntes, de los sabios y de los santos de la India, si existe una herencia que podamos presentar para provecho del mundo, es este evangelio de clemencia y de confianza, uno de los más hermosos florones de nuestro país. Tengo la convicción de que en el futuro, la India sabrá oponer ese mensaje a la amenaza de exterminio general que la bomba atómica supone para nuestro planeta. Las armas de la verdad y del amor son invencibles; la falla radica en nosotros mismos, sus adeptos, ya que nos vemos metidos en un engranaje que puede conducirnos al suicidio. Por consiguiente, todos mis esfuerzos están encaminados a examinarme cada vez más.

Para avanzar, no hay que rehacer la historia, sino renovarla. Tenemos que añadir algo a la herencia de nuestros antepasados. Si nos es posible descubrir e inventar en el mundo algunas realidades tangibles, ¿vamos a tener que reconocer nuestro fracaso en lo referido al campo del espíritu? ¿No será posible multiplicar las excepciones hasta convertirlas en regla? ¿Habrá que empezar actuando siempre como bestia, para pasar luego a actuar como hombre, y sólo en la medida en que sea posible?

Las mujeres son las guardianas titulares de todo lo que hay de puro y religioso en la vida. Preservadoras por naturaleza, les cuesta librarse de las supersticiones arraigadas por la costumbre, pero también se muestran recalcitrantes cuando se les quiere hacer renunciar a todo lo que hay de puro y noble en la vida.

Estoy firmemente convencido de que la salvación de la India depende de la abnegación de sus mujeres y de la luz que ellas nos proporcionan.

El Estado representa la violencia bajo una forma intensificada y organizada. El individuo tiene un alma, pero el Estado, que es una maquinaria sin alma, no puede librarse de la violencia, ya que es a ella a la que debe su existencia.

¿Qué diferencia hay para los muertos, los huérfanos y los desamparados, cuando la destrucción demencial es efectuada en nombre del totalitarismo o en el sagrado nombre de la libertad y la democracia?

No conozco ningún pecado mayor que el de oprimir al inocente en nombre de Dios.

Las democracias consideran a los hombres armados como sus salvadores. Producen riqueza, someten a otros países y sustentan la autoridad en tiempos de perturbación civil. Por lo tanto, debe desearse que la democracia, para ser genuina, cese de apoyarse en un ejército para lo que fuere.

La verdadera democracia o autonomía política [swaraj] de las masas, no puede obtenerse jamás por medios desleales y violentos. La sencilla razón de ello es que el empleo de métodos semejantes supone necesariamente que uno se deshace de toda oposición, liquidando a los adversarios. Sobre tales bases es imposible establecer un régimen de libertad individual. Esta no podrá encontrar su plena expansión más que en un régimen donde la *ahimsa* reine en estado puro.

Es imposible obtener una paz duradera mientras todos los responsables no renuncien, sin reserva alguna y con pleno conocimiento de causa, a utilizar las armas destructivas que controlan. Es lógico que esto no podrá conseguirse mientras las

Grandes Potencias no renuncien a sus ideas imperialistas. Por eso, sería menester que las grandes naciones dejaran de confiar en una rivalidad que las corroe y renunciaran a querer multiplicar sus necesidades, lo cual supone de antemano el deseo de que no aumenten sus posesiones materiales.

A menos que las Grandes Potencias desechen su anhelo de explotación y el espíritu de violencia, de las cuales la guerra es expresión natural y la bomba atómica su inevitable secuela, no habrá esperanza de paz para el mundo.

Creo que tuve un hijo difícil, por las faltas que cometí en esta vida o en otra anterior. Mi primer hijo nació en una época de mi vida en la que todavía no estaba desapegado de todas mis pasiones. En la edad en que debí haberlo educado, no había alcanzado aún mi madurez completa. Me conocía muy poco a mí mismo. Incluso, hoy no puedo conocerme perfectamente, pero sí mejor que entonces. Durante varios años, él estuvo lejos de mí; no fui el único encargado de su educación. Por eso se entregó demasiado

a sí mismo. Siempre me ha reprochado haberles sa-
crificado —tanto a él como a sus hermanos— en aras
de lo que yo imaginaba que era el bien público. Mis
otros hijos, finalmente acabaron perdonándome de
todo corazón. Pero el mayor no puede olvidar lo que
él llama mis torpezas. Es verdad que fui directamente víctima de mis muchas inexperiencias cuando qui-
se cambiar radicalmente mi vida. Por lo tanto, me
juzgo responsable de la pérdida de mi hijo y por eso
soporto pacientemente esta prueba. No obstante, no
es exacto decir que yo he querido que se perdiera,
pues no dejo de rezar para que Dios le haga ver sus
errores y me perdone las posibles insuficiencias de
mi oficio paternal. Tengo el firme convencimiento
de que el hombre está hecho para ir cada vez más hacia lo alto. Por eso, no he perdido las esperanzas de
ver a mi hijo salir de su torpeza e ignorancia. Por
eso, él también forma una parte muy profunda de
mis experiencias no violentas. ¿Tendré alguna vez
éxito con él? ¿Cuándo? Nunca me he preocupado
por saberlo: me basta ahora con no ceder en mis esfuerzos por cumplir lo que sé que es mi deber.

El gobierno democrático es un sueño distante
mientras la no violencia no sea reconocida como

una fuerza viviente, un credo inviolable, no apenas como una política.

Si muriese de una enfermedad prolongada o inclusive, vean bien, de un forúnculo o —¿por qué no?— de un simple grano, será vuestra obligación decirle al mundo entero, con el peligro de atraer sus iras, que yo no era ese hombre de Dios que pretendía ser. Si así lo hacéis, tendré el espíritu en paz. Por el contrario, sabed que si tuvieran que derribarme de un balazo —el otro día quisieron matarme haciendo explotar una bomba— y soy capaz de enfrentarme a ello sin estropearlo todo, consagrando mi último suspiro al nombre del Creador, entonces será que no he pretendido en vano ser un hombre de Dios. [Comentario efectuado en la noche previa al atentado que causó su muerte.]

El silencio se convierte en cobardía cuando la ocasión exige pronunciar toda la verdad y proceder de acuerdo con ella.

Seamos claros en cuanto al lenguaje que utilizamos y a los pensamientos que nutrimos. Pues ¿qué es el lenguaje sino la expresión de lo que pensamos? Haz que tu pensamiento sea preciso y verdadero, y activarás el advenimiento de la autonomía, aunque todo el mundo esté en tu contra.

El futuro dependerá de lo que hagamos en el presente.

El sendero de la autopurificación es duro y empinado. Alcanzar la pureza perfecta significa que se debe estar completamente libre de pasiones en el pensamiento, la palabra y las acciones, de modo tal de elevarse por encima de las corrientes antagónicas del amor y el odio, del apego y el desapego.

Hasta a los gobiernos más despóticos les es imposible permanecer en el poder sin la anuencia de sus gobernados. Es verdad que el déspota cuenta muchas veces, gracias a la fuerza, con el consentimiento del pueblo. Pero apenas el pueblo deja de temer la fuerza del tirano, su poder se derrumba.

Mi objetivo es la amistad con el mundo entero, pero puedo combinar el amor más grande con la máxima oposición a la falsedad.

Mi alma se expande en la adoración del Creador cuando admiro lo maravilloso de una puesta de sol o la belleza de la luna. En todas esas creaciones intento verlo a Él y a sus dádivas.

En la plegaria se encuentran el alma y la esencia de la religión. Por lo tanto, debe ser el corazón mismo de la vida humana, dado que ningún hombre puede vivir sin religión.

Nos dicen los científicos que sin la presencia de una fuerza cohesiva entre los átomos que conforman nuestro planeta, éste se derrumbaría y nosotros dejaríamos de existir. Así como hay una fuerza cohesionante en la materia inerte, de igual manera existe en todas las cosas animadas. El nombre de dicha fuerza entre los seres animados es Amor.

Quien busca la Verdad debe ser más humilde que el polvo. Todo el mundo aplasta al polvo bajo sus pies. Pero quien busca la Verdad, debe ser tan humilde como para que pueda aplastarlo hasta el polvo.

El hombre es una maquinaria cuya fuerza motriz es el alma. Esta máquina singular no realizará el máximo de su faena ni por un salario ni bajo presiones. Lo hará cuando esa fuerza motriz —o sea, la voluntad espiritual de la criatura— rinda al máximo debido a su propio combustible: los afectos.

Creo que todos los seres humanos pueden lograr ese estado puro, bendito e indescriptible, en el que se siente íntimamente la presencia de Dios, con exclusión de cualquier otra cosa.

El anhelo sincero y puro de corazón siempre se realiza: siempre verifiqué lo cierto de ello en mi propia vida.

A Dios no se lo puede encontrar en los templos, los ídolos o los lugares de adoración edificados por manos humanas. Tampoco podrá llegarse a Él por el sendero de las abstinencias. Puede hallarse a Dios sólo por medio del amor, pero no el terrestre sino el divino.

Para poder ver algún día —cara a cara— al Espíritu de Verdad que impregna el universo entero, es preciso llegar a amar como a uno mismo todo lo que hay de más insignificante en la creación. Por eso, no hay que alejarse de ninguna de las dimensiones de la vida. Por este motivo, mi amor a la verdad me hizo entrar en la política. Sin la mínima vacilación, aunque con total humildad, puedo afirmar que no es posible comprender la religión sin ver en ella su vínculo con la política.

Dios jamás me abandonó, ni siquiera en las horas más tenebrosas. Muchas veces me salvó de mí mismo, y no me dejó el menor fragmento de independencia. Cuanto más grande es mi entrega a Dios, mayor es mi alegría.

Jamás pude comprender cómo alguien puede enorgullecerse al ver humillados a sus semejantes.

Dios acude en tu ayuda, de uno u otro modo, y te hace ver que no debes perder la fe. Él está siempre atento a tu expresión y a tu clamor, pero a su manera, no a la tuya. En cuanto a mí, no puedo recordar un solo caso en el que me haya abandonado, ni siquiera en momentos extremos.

Anhelo ver a Dios cara a cara. El Dios que conozco se llama Verdad. Para mí, el único camino para conocer a Dios es la no violencia y el amor.

Aprendí esta lección: lo que es imposible para el hombre es un juego de niños para Dios. No me cabe duda de que todas las cosas son posibles si tenemos fe en la Divinidad que rige el destino de hasta lo más humilde de Su creación. Con esta esperanza extrema, paso el tiempo esforzándome en obedecer Su voluntad.

El hombre es un ser falible que jamás logra estar seguro del camino que recorre. Tal vez lo que considera como una respuesta a sus oraciones sea apenas el eco de su orgullo. Tener una conducta infalible presupone gozar de un corazón totalmente inocente, incapaz de hacer el mal. En mi caso, no puedo ostentar tal pretensión. Tengo un alma imperfecta, que yerra, lucha y se esfuerza.

La experiencia me enseñó que, para un adepto a la Verdad, el silencio es parte de la disciplina espiritual.

Cierto grado de armonía y comodidad física resulta necesario, pero por encima de tal nivel se vuelve un estorbo y no una ayuda. Por ello, el ideal de crear una cantidad ilimitada de necesidades y de satisfacerlas parecería ser una falacia, una trampa. La satisfacción de las necesidades físicas de una persona, incluidas las necesidades intelectuales del estrecho ego de un individuo, a menudo alcanzan un punto muerto y después degeneran en voluptuosidad física e intelectual. El hombre debe acomodar sus circunstancias físicas e intelectuales de manera que no interfieran en su servicio a la humanidad: en ello debería concentrar todas sus energías.

Busco la Verdad humildemente, pero con toda seriedad. Y en el sendero de esta búsqueda, confío plenamente en mis compañeros de viaje, a fin de conocer mis errores y corregirlos.

Es preciso que aprendamos el arte de no afligirnos por la muerte, sin importar cuándo y a quién le sobreviene. Supongo que aprenderemos a hacerlo cuando seamos totalmente indiferentes a nosotros mismos. Pero tal indiferencia brotará apenas cuando en todo instante sepamos que estamos haciendo la tarea para la cual fuimos destinados.

La experiencia me enseñó que es un error apreciar el valor de un alimento por su sabor. No hay que comer por darle gusto al paladar, sino para preservar el cuerpo con todo su vigor. Cuando los órganos de los sentidos se someten a las exigencias de la salud y el cuerpo obedece al alma, el ansia de gozar pierde su poder tiránico y nuestras funciones fisiológicas se ajustan a las intenciones de la naturaleza.

Puse a un lado la espada, de manera que a quienes me combaten no tengo nada que ofrecerles, salvo la copa del amor. Al ofrecerles esa copa, espero atraerlos junto a mí.

Cuando se trata de descubrir que la Verdad es Dios, el único medio ineludible es el amor, o sea, la no violencia. Y como creo que los medios y el fin son esencialmente conceptos convertibles, no dudaría en afirmar que Dios es amor.

Jamás, algún hombre finito conocerá plenamente la Verdad y el Amor, que en sí mismos son infinitos.

Del mismo modo que en Occidente se hicieron descubrimientos maravillosos en el orden material, de modo semejante el hinduismo hizo descubrimientos todavía más maravillosos en lo referido a la religión, el espíritu y el alma. No obstante, no valoramos estos grandiosos y admirables descubrimientos y estamos deslumbrados por los avances materiales obtenidos por la ciencia occidental.

No comparto en absoluto esa superstición que hace valorar todo lo antiguo por el hecho de ser antiguo. Tampoco creo que todo sea bueno por ser hindú.

Donde hay amor, allí también está Dios.

Me satisface realizar las cosas que tengo por delante. No me preocupa su por qué o su para qué. El buen sentido nos ayuda a percibir que no debemos atascarnos en asuntos que no podemos comprender.

Siempre reconozco plenamente mi debilidad, pero mi fe en Dios y en su potencia y su amor, es inquebrantable. Soy como un puñado de arcilla en las manos del alfarero.

Mi espíritu me impulsa en una dirección, y mi carne me proyecta en dirección contraria. Existe una liberación de este juego de dos fuerzas, pero esta liberación sólo puede obtenerse de a poco, a través de etapas dolorosas.

La fe trasciende la razón. El único consejo que puedo dar es no intentar lo imposible. No puedo explicar con ningún argumento racional la existencia del mal. Tratar de hacerlo, sería igualarse a Dios.

Aspiro a ser un humilde servidor de la India y de la humanidad. Me gustaría morir cumpliendo ese servicio. No tengo la mínima vocación de fundar una secta. En verdad, soy demasiado ambicioso para satisfacerme con la adhesión de una secta, pues no represento verdades nuevas... Apenas trato de arrojar una nueva luz sobre muchas verdades antiguas.

El amor jamás reclama, siempre ofrece. El amor siempre sufre, nunca se venga.

Así como frecuentemente sucumbimos a la tentación, pese a los esfuerzos que hacemos para resistirla, también la Providencia interviene con la misma frecuencia para salvarnos, a pesar de nosotros mismos. ¿Por qué ocurre tal cosa? ¿Hasta dónde llega la libertad humana? ¿Cuáles son los límites del libre albedrío y cuál es el papel de la fatalidad en nuestro destino? Son múltiples cuestiones que quedan sin respuesta en este terreno, donde todo es misterio.

Servir voluntariamente a los demás exige lo mejor de lo que uno es capaz y debe ser precedente del servir al propio yo. Es así: el devoto debe consagrarse a servir a la humanidad sin ningún tipo de reservas.

Mi vida es un Todo indivisible, y todos mis actos convergen entre sí. Todos ellos nacen del insaciable amor que tengo hacia toda la humanidad.

La adoración o la oración no consisten en un palabrerío verbal. Emanan de las profundidades del corazón, "cuando estamos vacíos de todo, menos del amor". Cuando colocamos todas las cuerdas en perfecta armonía, "su música se convierte en una vibración imponderable". La oración no necesita palabras.

Al inclinarnos con reverencia a la Tierra aprendemos —o debemos aprender— a ser humildes, como la Tierra es humilde... Somos terrestres que pertenecemos a ella. Si la Tierra no existiera, nosotros no existiríamos.

Si bien es imposible capturar la Verdad perfecta mientras estemos prisioneros de esta envoltura mortal, lo único que nos queda es visualizarla con nuestra imaginación. Jamás podremos ver a la Verdad de frente, pues es eterna, salvo a través de la mediación de este cuerpo efímero. Por eso, en última instancia, dependemos de la fe.

No es posible que el hombre conozca la Verdad total, su deber es vivir de acuerdo con ella en la medida en que la percibe. Y, comportándose así, debe recurrir a los medios más puros, es decir, a la no violencia.

Cada cual debe aplicarse a escuchar su pequeña voz interna, y actuar de acuerdo con ella. Y si carece de oídos para ello, que haga lo mejor que pueda. De ningún modo debe imitar a los demás, como si fuésemos ganado.

Nacimos para servir a nuestros semejantes y no podremos hacerlo apropiadamente, salvo que estemos muy despiertos. En el pecho humano se libra una eterna y encarnizada batalla entre los poderes de las tinieblas y de la luz. Quien no cuente con el ancla de salvación de la plegaria será víctima de las tinieblas. El hombre de oración está en paz consigo mismo y con el mundo entero. Pero si el hombre aborda los asuntos mundanos sin un corazón devoto, será desdichado y también hará desdichado al mundo. Por eso, la plegaria —independientemente de vincularse con la condición humana después de la muerte— tiene para el hombre, en este mundo de la vida, un valor incalculable. La plegaria es el único medio de lograr orden, paz y reposo en nuestras acciones cotidianas.

Existe un poder misterioso e indefinible que permea todas las cosas. Yo lo siento, aunque no lo vea. Sentimos la presencia de este Poder invisible y, por ello, él desafía todas nuestras manifestaciones, porque es muy distinto de todo lo que percibimos con los sentidos. Sobrepasa los sentidos pero, hasta cierto punto, es posible un raciocinio sobre la existencia de Dios.

Mi vestimenta carnal es tan corruptible como la de todos mis compañeros humanos. Y por eso estoy tan sujeto a cometer errores como cualquiera de ellos.

La música divina no deja jamás de hacer resonar sus armonías en nosotros. Pero la vida de los sentidos es tan estrepitosa que apaga esa melodía sutil, diferente de todo lo que el oído puede captar e infinitamente superior a cualquier realidad sensible.

El poeta tiene la misión de reanimar el bien adormecido en el fondo del corazón de todo hombre. Si su influencia no es la misma sobre cada uno de nosotros, es porque todo depende del grado de nuestra evolución personal.

Ahimsa implica un amor infinito, que a la vez constituye una infinita capacidad de sufrimiento.

Muchas veces, creo que un rezo silencioso es más poderoso que un acto consciente. Y por eso, cuando me siento privado de ayuda, rezo sin cesar, con la certeza de que una oración nacida de un corazón puro no dejará jamás de ser atendida.

Si en la actualidad hay tanta mentira en nuestro desorbitado mundo, ello ocurre porque cada cual reivindica los derechos de una conciencia ilustrada, sin sujetarse a la menor disciplina. Para descubrir la Verdad se requiere mucha humildad.

El hombre que habla poco, raras veces pronunciará palabras imprudentes, pues mide sus palabras. El silencio es un enorme auxilio para quien, como yo, anda detrás de la Verdad.

Conozco mi camino. Es recto y estrecho como el filo de una espada. Me da gusto recorrer ese camino. Cuando tropiezo, lloro. Dios dice: "Quien trabaja con esfuerzo, no perecerá". Y tengo una fe implícita en esa promesa.

Todos estamos pintados con los mismos colores y somos hijos de un mismo creador. En consecuencia, como tales, los poderes divinos que albergamos son infinitos. Menospreciar a un solo ser humano es menospreciar esos poderes divinos. Por lo tanto, dañar a un ser no es herirlo apenas a él, sino que en él se lastima al universo entero.

Un pequeño cuerpo de espíritus decididos y animados por una fe inextinguible en su misión puede alterar el curso de la historia.

La resistencia con amor es una fuerza a la que pueden recurrir tanto los individuos como las comunidades. Se la puede usar tanto en las cuestiones políticas como en las domésticas. Su aplicación universal es la demostración de su permanencia y su invencibilidad. Pueden utilizarla tanto hombres, mujeres y niños. Es totalmente falso afirmar que se trata de una fuerza apta para que la apliquen sólo los débiles porque son incapaces de oponer la violencia a la violencia. Ante la violencia y, en consecuencia, ante toda tiranía, esta fuerza representa lo que la luz es respecto de las tinieblas.

La No Violencia

A himsa (no causar daño), concepto hindú traducido habitualmente como no violencia, central en el pensamiento gandhiano, resume la vocación de absoluto respeto hacia toda entidad viviente, ya sea humana o animal, vegetal o alada, pues la vida es considerada como Una y Sagrada. Expandido y enriquecido a través de la historia, equivale a un estado moral que inhibe todo acto que pueda perjudicar a cualquier criatura sensible.

En el siglo XII de la era actual, el poeta hindú Hemacandra se refirió así a la **ahimsa:**

"La **ahimsa** *es como una madre amante de todos los seres. Es como un caudal de néctar en el desierto de* samsara*, *con una sucesión de nacimientos hasta que el alma alcanza finalmente la* moksha**. *Es un paso de nubes de lluvia al bosque de fuego del sacrificio. La mejor hierba para sanar a los seres atormentados por la enfermedad.* **Ahimsa**, *llamada rueda perpetua de la existencia".*

Es la piedra fundamental de toda la doctrina yógui-
ca, que la considera una purificación externa basada en
el no causar dolor a otros ni siquiera con el pensamiento
ni con la palabra ni con cualquier acción, en referencia a
todo lo viviente.

Cuando se lo interrogaba al respecto, Gandhi señala-
ba que más allá del significado literal, para él el concep-
to poseía un significado de muchísimo más vuelo. Decía
que no se debía ofender a nadie, que había que vaciarse
de pensamientos no caritativos, incluyendo aquellos refe-
ridos a quienes uno considera como enemigos, pues para
quien asumen tal doctrina, el "enemigo" como tal no
existe. Remarcaba: "Un hombre que cree en la eficacia de
esta doctrina, descubre que en última instancia, cuando
está por alcanzar la meta, el mundo entero está a sus
*pies. Si uno expresa ese amor-**ahimsa** de modo que im-*
presione de forma indeleble al llamado enemigo, él debe
retribuir ese amor. Esta doctrina nos dice que debemos
custodiar el honor de quienes están a cargo de nosotros,
entregando nuestras vidas a las manos de quien va a co-
meter el sacrilegio. Y eso requiere mucho más coraje que
disponerse a dar golpes".

Por lo menos cinco prominentes luchadores contemporá-
neos por la justicia racial y social —entre muchos más—
alzaron sus mismas banderas, en otras circunstancias

y/o en otras latitudes. En la India, Vinoba Bhave (1885-1982). En los Estados Unidos, el reverendo Martín Luther King hijo (1929-1968) y el sindicalista "chicano" (mexicano-estadounidense) César Chávez (1927-1993). En Sicilia, el sociólogo y educador Danilo Dolci (1924-1997). Y desde Italia y Francia, Giuseppe Giovanni Lanza del Vasto (1901-1981), fundador de la Comunidad del Arca, rebautizado por Gandhi como Shantidas (servidor de la paz), iniciador de una filial de su movimiento en la Argentina.

*Un macroproyecto de Gandhi era la autonomía socio-político-económico-cultural (**swaraj,** o libertad). Pero fue todavía más lejos y bautizó su enorme desafío justiciero, su movimiento de multitudes, como **sarvodaya.** Un sinónimo de "bienestar para todos". Este otro término inventado por él unía dos palabras sánscritas: **sarva** (que significa "todo") y **udaya** (que quiere decir "elevamiento", bienestar o prosperidad). Decía: "Se trata de valores humanos, de un desarrollo individual siempre consistente con su uso para el desarrollo de la sociedad; la promoción del altruismo en el grado más elevado; la integración del individuo con la sociedad; el elevamiento de la sociedad humana entera hacia el plano más alto de la existencia, donde el amor y el trato limpio jueguen papeles cruciales: tales son las características predominantes de **sarvodaya**". Muchos de los que hoy suelen denomi-*

narse *"no violentos"* en las tribunas proselitistas, ni siquiera conocen los desafíos profundos de este ideal.

De las innumerables instituciones que en el mundo entero llevan el nombre de Gandhi o el de alguna de sus visiones, desde Bangalore (India), el Sarvodaya International Trust (STI) se concentra en la promoción incesante del ideal de verdad, no violencia, paz, fraternidad universal y servicio humanitario.

Entre sus prominentes consejeros aparecen Monseñor Desmond Tutu y el Dalai Lama, que al ser convidado para ello respondió: "Normalmente, debido al creciente número de requerimientos así, sumados a mis otros compromisos, declino las invitaciones a formar parte de organizaciones, entidades y fundaciones, etc. Sin embargo, me hace feliz aceptar su convite, pues el STI corporiza los objetivos de promover los principios gandhianos de la verdad, la no violencia, etc."

En tal cosmovisión, más allá de sus logros o fracasos circunstanciales, la no violencia está siempre presente, no como una política para la toma del poder, sino para la restauración de la naturaleza humana real, único medio capaz de instaurar la plena justicia y un genuino orden social sin excluidos.

La no violencia implica una autopurificación completa, tanto como resulte humanamente posible. Del hombre para el hombre, la no violencia se encuentra en proporción exacta a la idoneidad —y no a la voluntad— de la persona no violenta para infligir violencia. El poder a disposición de la persona no violenta es siempre mayor que el que poseería si fuese violenta. En la no violencia no existe nada que sea derrota.

La no cooperación con el mal es un deber sagrado.

La adquisición del espíritu de no resistencia es cuestión de un largo entrenamiento en la abnegación y de la apreciación de los potenciales ocultos en nosotros mismos. Cambia la perspectiva de la propia vida... Es el potencial más poderoso porque es la expresión más elevada del alma.

La resistencia pasiva es una espada de múltiples virtudes. Se la puede usa de maneras distintas. Atrae bendiciones sobre quien la usa y también sobre aquel en quien se emplea. Sin derramar una sola gota de sangre, obtiene resultados extraordinarios. Es un arma que jamás se oxida y que nadie puede robar.

Dejé que mis amigos dijeran que la verdad y la no violencia estaban fuera de lugar en la política o en las demás cuestiones temporales. Pero no comparto tal opinión. No utilizo esos métodos para asegurar mi salvación personal. Trato de recurrir a ese principio en todas las situaciones de mi vida cotidiana.

En nuestra condición actual —nos enseña la doctrina hindú— no somos más que mitad hombres. La parte inferior de nuestro ser todavía es animal. Sólo el dominio de nuestros instintos mediante el Amor puede sujetar a la bestia que existe en nosotros.

Si uno va a combatir el fetiche de la fuerza, será por medios totalmente distintos de los que están vigentes entre los puros adoradores de la fuerza bruta.

La no violencia no es una vestimenta que uno se pone y saca a voluntad. Su sede se encuentra en el corazón, y debe ser una parte inseparable de nuestro ser.

El fin que me propongo alcanzar, cueste lo que cueste, responde al término *moksha*, que es el desapego de todo vínculo terreno y la liberación del ciclo de las reencarnaciones. Se trata de la realización de uno mismo, con la visión de Dios cara a cara. Tiendo a este fin con todo mi ser, por medio de mi vida y de mis actos. Todo converge en ello: mis palabras, mis escritos y todos mis emprendimientos en el terreno político. Y bien, siempre estuve convencido de que lo que puede hacer uno de nosotros pueden hacerlo todos los demás. Por eso, en vez de actuar a escondidas, he emprendido mis experiencias a la vista de todo el mundo. Creo que eso no le quita nada a su valor espiritual. Es evidente que no se puede dar cuenta de ciertas cosas que sólo conocen uno mismo y su Creador.

Creo en el mensaje de verdad que nos traen los fundadores de todas las religiones del mundo. Rezo sin cesar para no sentir jamás ningún resentimiento contra los que me calumnian y para que pueda morir con el nombre de Dios en los labios, aun cuando caiga víctima de un atentado. Que se me recuerde como un impostor, si en el último momento tengo alguna palabra de odio contra mi asesino.

El credo de la no violencia se basa en asumir que, en su esencia, la naturaleza humana es una sola y por lo tanto responde infaliblemente a los avances del amor... Para su éxito, la táctica no violenta no depende de la buena voluntad de los dictadores, pues el resistente no violento depende de la infalible asistencia de Dios que lo sustenta a través de las dificultades que, de otro modo, serían insuperables.

La primera condición de la no violencia es la justicia expandida a todo territorio de la vida. Quizás es esperar demasiado de la naturaleza humana. Sin embargo, no creo que sea así. Nadie debería dogmatizar sobre la capacidad de la naturaleza humana para la degradación o la exaltación.

Para alcanzar una victoria, no acepto el más mínimo acto de violencia... A pesar de mi simpatía y admiración por la nobleza de algunas causas, estoy completamente en contra de que se las defienda por métodos violentos. En consecuencia, no existe ningún acuerdo posible entre la escuela de la violencia y mis concepciones.

En la no violencia, las masas humanas tienen un arma que le permite a un niño, a una mujer e inclusive a un hombre decrépito, resistir exitosamente al gobierno más poderoso. Si tu espíritu es fuerte, la simple carencia de fortaleza física deja de ser una desventaja.

La historia enseña que nos vemos agobiados por los males que sufren los vencidos cuando son oprimidos brutalmente, aun con las mejores intenciones, cuando se encuentran bajo el fardo de la miseria.

A la dignidad humana se la preserva mejor no mediante el desarrollo de la capacidad para manejar la destrucción, sino por el rehusarse a la represalia. Es posible entrenar a millones en las oscuras artes de la violencia, lo cual viene a ser la ley de la bestia. Resulta más factible capacitarlos en las artes claras de la no violencia, que es la ley del hombre regenerado.

La no violencia actúa de manera altamente misteriosa. Frecuentemente, en los términos de la no violencia, los actos de un hombre se resisten a todo análisis. También resulta frecuente que sus actos tengan la apariencia de violentos, a pesar de ser él totalmente no violento en el sentido más elevado de la palabra; su postura se verá confirmada tarde o temprano.

Con un entrenamiento apropiado y técnica adecuada, la no violencia puede ser practicada por masas humanas.

El primer principio de la acción no violenta consiste en no cooperar con cualquier cosa que sea humillante.

La no violencia, que es una cualidad del corazón, no puede surgir mediante una apelación al cerebro.

Me considero incapaz de odiar a nadie. Hace más de cuarenta años que, gracias a la oración y a un prolongado trabajo sobre mí mismo, no he sentido odio hacia nadie. Advierto perfectamente que es una confesión presuntuosa, pero la hago con plena humildad. Al mal sí lo odio con todas mis energías. Siento horror por el régimen que los británicos han establecido en la India. Odio la manera despiadada con que se explota a nuestro país... Pero no siento ningún odio por los ingleses que nos oprimen, ni por los hindúes que no tienen piedad con sus hermanos. Procuro reformarlos con la ayuda de todos los medios que el amor pone a mi disposición.

Los responsables de nuestra sujeción no son tanto los fusiles británicos como nuestra colaboración voluntaria.

La independencia de mis sueños significa *Ramarajya*, o sea, el Reino de Dios en la Tierra... La independencia debe ser política, económica y moral. "Político" quiere decir: remoción del control del ejército británico. "Económico" significa libertad entera respecto de los capitalistas británicos y del capital, pero también de sus contrapartes hindués. "Moral" significa libertad de las fuerzas armadas de defensa.

La simple retirada de los ingleses no es sinónimo de independencia. Esta palabra significa la toma de conciencia por parte de cada aldeano, de que es artífice de su propio destino y de que, por medio de su representante, es su propio legislador.

Proclamo ser un apasionado buscador de la verdad, que no es más que otro nombre para Dios. En el transcurso de esa búsqueda vino hacia mí el descubrimiento de la no violencia. Su expansión es mi misión en la vida. No tengo otro interés en el vivir, salvo la consumación de esa misión.

Mi alma resistirá todo reposo mientras asista impotente a un solo sufrimiento o a una sola injusticia. Pero débil, frágil y miserable como soy, no sabría remediar todos esos males y no podría en adelante lavarme las manos. El espíritu me tironea desde un lado, y la carne desde el otro. La libertad emana de la acción conjunta de esas dos fuerzas; pero sólo se llega a ella lentamente, tras prolongadas etapas y penosas dificultades. No conseguiré la libertad por medio de una negativa sistemática a actuar, sino por una acción reflexiva y llevada a cabo en medio de un completo desprendimiento. Esta lucha lleva constantemente a una crucifixión de la carne para dar mayor libertad al espíritu.

Jesús habría vivido y muerto en vano si no nos hubiera enseñado a regular la totalidad de la vida mediante la eterna ley del amor.

Jesús fue tal vez el más activo resistente que se haya conocido en la historia. La suya fue no violencia por excelencia.

La única virtud que procuro reivindicar es la verdad y la no violencia. No pretendo asumir ningún poder sobrehumano. No sabría qué hacer con él. Soy de carne y hueso como el más pequeño de mis semejantes; débil y falible como cualquier hombre. Los servicios que practico están muy lejos de ser perfectos; pero hasta ahora, Dios ha querido bendecirlos, pese a sus deficiencias.

Jesús, un hombre que era completamente inocente, se ofreció a sí mismo por el bien de otros, incluidos sus enemigos, y se volvió la redención del mundo. Fue un acto perfecto.

No quiero renacer. Si ello debiera suceder, me gustaría encontrarme entre los agobiados intocables hindúes, para compartir sus preocupaciones, sus sufrimientos y las afrentas que les asestan. De ese modo, tal vez se me ofreciese la ocasión de liberarlos y liberarme de esa miserable condición.

La no violencia es un instrumento al alcance de todos: niños, jóvenes o adultos, con tal que crean efectivamente en el Dios del Amor y extraigan de esa fe un amor igual para con todos. Si se acepta la no violencia como ley de vida, afectará a todo el ser y no apenas a unas cuantas acciones aisladas.

Una revolución no violenta no es un programa para la toma del poder. Es un programa para la transformación de las relaciones, de modo tal que se desemboca en una transferencia pacífica del poder.

Estoy dispuesto a sacrificarlo todo por mi país, excepto dos cosas y solamente esas dos: la verdad y la no violencia. Por nada del mundo las sacrificaría por cualquier otra ventaja. Porque para mí, la verdad es Dios y no existe ningún otro medio para encontrarla que seguir el sendero de la no violencia. Me niego a servir a la India a costa de la verdad o de Dios. Pues quien empieza por sacrificar la verdad, termina traicionando a su país y abandonando inclusive a sus propios padres y a los seres más queridos por su corazón.

Aspiro a que en los niños se desarrollen las manos, el cerebro y el alma. Las manos casi han quedado atrofiadas; y también el alma ha quedado muchas veces en algún rincón.

Si la no violencia no apela a tu corazón, deberías desecharla.

Los hombres se encuentran ante una encrucijada: tienen que elegir entre la ley de la jungla y la ley de la humanidad.

La no violencia alcanza toda su eficacia cuando extrae su fuerza del espíritu. La no violencia que no requiere más que la participación del cuerpo es propia de los débiles y de los cobardes. Y entonces resulta absolutamente inoperante. Si guardamos en nuestro interior el veneno del odio, asegurando que no queremos vengarnos, nuestro veneno se vuelve contra nosotros y nos conduce a la perdición. Si no tenemos un amor fuerte y generoso, por lo menos deberemos evitar que nuestro odio sea alimentado, para no soportar las terribles consecuencias de una falta de violencia meramente física.

Si aspiramos a ser no violentos, debemos desear que aquello que tenemos no supere lo que tienen los más desprotegidos del mundo.

Ningún hombre, si es puro, tiene algo más precioso que ofrendar que su propia vida.

Quien encuentra la muerte sin dar un solo golpe, cumple con su deber en un ciento por ciento. El resultado está en las manos de Dios.

No podría vivir un solo segundo sin religión. Muchos hombres políticos, amigos míos, pierden su esperanza en mí porque dicen que hasta mi política está inspirada en la religión. Es cierto. Todas mis actividades políticas y de cualquier otro tipo se explican, efectivamente, por mi religión. Incluso me atrevería a decir que todos los actos de un hombre religioso tienen que inspirarse en su religión. Esta palabra, en verdad, pone el acento en el vínculo que nos religa a Dios. Pues bien, ¿no es Él quien reina en nuestro más pequeño soplo?

No concibo la religión como una de las tantas actividades del hombre. La propia actividad puede hacerse con un espíritu religioso o irreligioso. Mi concepción de la religión no tiene por qué hacerme abandonar la política. Para mí, el más pequeño de mis actos está regulado por lo que considero que es mi religión.

La no violencia es la fuerza más grande que la humanidad tiene a su alcance. Es más poderosa que el arma más destructiva inventada por el hombre. La destrucción no corresponde en nada a la ley de los hombres. Vivir libre es estar dispuesto a morir, si es preciso, a manos del prójimo, pero nunca a darle la muerte. Sea cual fuere el motivo, todo homicidio y todo atentado contra la persona es un crimen contra la humanidad.

El primer paso hacia la no violencia es resolver con firmeza que toda la falsedad y la violencia deben ser para nosotros un tabú, sea cual fuere el sacrificio que ello nos demande.

La no violencia es un principio universal que debe triunfar inclusive en la adversidad. Su eficacia puede medirse precisamente cuando hay que enfrentarse con un ambiente hostil. Nuestra no violencia no conduciría a nada si su éxito tuviera que depender de la buena voluntad de las autoridades que nos gobiernan.

La no violencia no puede ser predicada. Debe ser practicada.

La verdad reside en el corazón de todo hombre. Allí es donde hay que buscarla para ser guiados por ella, tal como, al menos, se nos presente. Sin embargo, no tenemos derecho a obligar a los demás a obrar según nuestra propia manera de ver la verdad.

No corro tras el martirio. Pero lo habré de merecer si se me presentase como la consecuencia suprema del testimonio que hay que dar a veces para defender la fe.

A nadie le pido que me siga. Cada cual debe seguir su propia voz interior.

Es preciso distinguir entre el hombre y sus actos. Puede pensarse muy bien en una oposición y en un ataque a un sistema. Pero querer atacar directamente al autor de ese sistema equivale a querer emprender un ataque contra uno mismo. ¿Dios no nos ha hecho idénticos? ¿No somos todos hijos de un mismo y único Creador? Y en cuanto tales,

¿por qué nos vamos a atrever a afirmar que los poderes divinos que hay en nosotros son infinitos? Violentar a un solo ser humano es profanar esos poderes divinos y perjudicar no sólo a ese adversario sino, a través de él, a toda la humanidad.

Sé que el progreso de la no violencia es aparentemente un progreso muy lento. Pero la experiencia me ha enseñado que es el camino más acertado para una meta común.

En cualquier hombre, las virtudes de la misericordia, la no violencia, el amor y la verdad sólo pueden ser auténticamente puestas a prueba cuando se confrontan con la crueldad, la violencia, el odio y la falsedad.

Es injusto todo orden económico que ignore o que desprecie los valores morales. El hecho de extender la ley de la no violencia al terreno de la economía significa nada menos que considerar los valores morales en la fijación de las reglas del comercio internacional.

Adoptar el principio de la no violencia obliga a separarse de toda forma de explotación.

Mi vida constituye un todo indisoluble: un mismo vínculo es el que enlaza cada una de mis acciones. Todas ellas tienen su fuente en un amor inextinguible por la humanidad.

Sólo Dios conoce la mente de una persona; y el deber de un hombre de Dios es proceder tal como lo indica su voz interna. Proclamo que acciono de acuerdo con ella.

Creo que la verdadera democracia sólo puede ser resultado de la no violencia. No se puede organizar ninguna federación mundial salvo si su estructura tiene como base la no violencia. En tal caso, habrá que renunciar a toda violencia en los asuntos internacionales.

Quienes se sientan atraídos por la no violencia debieran, según sus dones y sus oportunidades, unirse al experimento.

Un estado no violento deber tener una base amplia fundada en la voluntad de un pueblo inteligente, capaz de conocer su mente y actuar de acuerdo con ella.

La *ahimsa* (no violencia) es uno de los mayores principios del mundo que ninguna fuerza de la Tierra puede erradicar. Millares como yo pueden morir reivindicando el ideal, pero la *ahimsa* jamás morirá. Y el evangelio de la *ahimsa* puede expandirse sólo a través de creyentes que mueren por la causa.

No tengo nada de visionario. No tengo ninguna pretensión de santidad. Soy un ser terrenal y con los pies en la tierra. Me siento inclinado a las mismas debilidades que ustedes. Pero he visto el mundo. He vivido con los ojos bien abiertos. He atravesado las pruebas más duras que pueden sacudir a un hombre. Y eso es lo que me ha formado.

La *ahimsa* es imposible sin caridad; no sucede, salvo que se esté embebido de caridad. Sólo quien se siente uno con su oponente puede recibir sus golpes como si fueran flores. Inclusive ese hombre, si Dios lo favorece, puede realizar la obra de mil. Eso requiere energía del alma —coraje moral— de la especie más elevada.

No hay ninguna valentía mayor que la de negarse hasta el fin a doblar la rodilla ante un poder terrenal, sea cual fuere su grandeza, haciéndolo sin agresividad alguna, con la fe cierta en que es el espíritu —y sólo él— lo que vive.

Un reformador no tiene que navegar a favor de la corriente. Muy a menudo debe navegar en contra de ella, aunque eso le cueste la vida.

Ya atentaron varias veces contra mi vida. Hasta ahora Dios me ha librado y mis agresores se han arrepentido de haber obrado de esa manera. Si alguno tuviera que matarme, creyendo que se libraba de un canalla, no habría matado al verdadero Gandhi sino a otro que él se imaginó por equivocación.

Si la libertad tiene que concretarse, debe ser obtenida mediante nuestra fortaleza interna, mediante nuestras filas compactas, mediante la unidad entre todos los sectores de la comunidad.

La vida es una aspiración a la perfección, a la realización de sí mismo. No hay que rebajar ese ideal, por culpa de nuestras debilidades o nuestras imperfecciones. Las mías las tengo muy presentes y me llenan de desconsuelo. Todos los días le suplico silenciosamente a la verdad que venga en mi ayuda para librarme de ellas.

La no violencia es imposible sin la autopurificación.

La *ahimsa* no es el devoto que actúa con su propia fuerza. La fortaleza proviene de Dios... Nunca me he atribuido la menor potencialidad.

No obedezco más que a la verdad. Ella sola es el objeto de mi entrega.

No existe el "gandhismo" ni quiero que se constituya una secta después de mí. No pretendo ni mucho menos haber sido el origen de una nueva doctrina. Lo único que he querido ha sido aplicar, a mi manera, unos principios de valor eterno para los problemas de nuestra vida cotidiana... Mis opiniones y conclusiones no son definitivas. Puede aportárseles cualquier modificación, de un día para otro. No tengo nada nuevo que enseñar al mundo. La verdad y la no violencia carecen de edad. He intentado simplemente poner en práctica, con unos cuantos procedimientos experimentales, esas virtudes, a una escala tan amplia como me ha sido posible.

La vida es una aspiración. Nos impulsa a buscar la perfección, con todas nuestras fuerzas. Nuestras debilidades y limitaciones no nos autorizan a rebajar ese ideal. El que liga su destino con la *ahimsa*, ley del amor, ayuda a vencer las fuerzas de la destrucción y a hacer progresar las fuerzas de la vida y del amor. Por el contrario, quien sólo sueña con la violencia, deja sueltas todas las energías maléficas que siembran la muerte y el odio.

Conozco el sendero. Es estrecho y sin rodeos, como el filo de una espada. Me lleno de gozo cada vez que avanzo por él y me agobio cuando doy un paso en falso. Según la palabra de Dios, "quien lucha sin descanso tendrá la vida eterna". Tengo fe implícita en esta promesa. Es verdad que he caído mil veces por culpa de mi debilidad, pero sigo manteniendo la esperanza de ver la luz, el día en que la carne quede perfectamente rendida.

De un mal nace, muchas veces, un bien. Pero esto depende de Dios, no del hombre. El hombre tiene que saber sencillamente que el mal viene del mal. Lo mismo que el bien, por su parte, se explica por el bien. La lección que hay que sacar de esta tragedia de la bomba atómica es que no nos libraremos de su amenaza fabricando otras bombas todavía más destructoras, puesto que la violencia no es capaz de hacer desaparecer la violencia. La humanidad no puede librarse de la violencia más que por medio de la no violencia. Sólo el amor es capaz de vencer al odio. Responder al odio con el odio equivale a agravar más todavía sus efectos.

El no violento tiene que disponerse a los sacrificios más exigentes, para superar el miedo. No se pregunta si va aperder su casa, su fortuna o su vida. Hasta que no supere toda aprensión, no podrá practicar la *ahimsa* en toda su perfección. El único temor que conserva es el de Dios. El que busca refugio en Dios no tarda en vislumbrar el *Atman* (alma o ser trascendental) que trasciende el cuerpo. Y es entonces cuando no hay nada que nos ate al cuerpo. Por consiguiente, según se entrene uno en la violencia o en la no violencia, tendrá que apelar a técnicas diametralmente opuestas. La violencia es necesaria para proteger los bienes temporales. La no violencia es indispensable para asegurar la protección de nuestro honor y del *Atman*.

En este siglo lleno de sorprendentes inventos, nadie puede decir que una cosa o una idea carezca de valor por el hecho de ser nueva. Afirmar que una empresa es imposible, por ser difícil, sería obrar en contra del espíritu de nuestra época. Todos los días vemos realizarse cosas que no podían imaginarse el día anterior. Lo imposible no cesa de ceder terreno a lo imposible. En el campo de la violencia, los más recientes descubrimientos son especialmente asombrosos. Pero estoy seguro de que todavía se harán descubrimientos más maravillosos en el terreno de la no violencia.

Es tan estrecho el vínculo entre el cuerpo y el espíritu que, cuando uno de los dos pierde el equilibrio, todo el sistema sufre las consecuencias. Por consiguiente, para estar sano en el verdadero sentido de la palabra, hay que ser muy puro. Los malos pensamientos y las pasiones desordenadas no son más que formas diversas de enfermedad.

Por ejemplo, no es que yo sea incapaz de encolerizarme, pero casi siempre he logrado dominarme. Puedo dejarme sorprender, pero siempre procuro de forma consciente y deliberada seguir siendo fiel continuamente a las exigencias de esos combates interiores. Cuanto más me esfuerzo en ello, más gozo tengo de vivir. Es la prueba de que esa ley está en conformidad con el plan del universo. Encuentro allí una paz y un sentido de los misterios de la naturaleza, que desafían toda descripción.

El mejor campo para una operación de no violencia es la familia o la institución considerada como familia. La no violencia entre los miembros de tales familias debería ser fácil de practicar. Si eso falla, significa que no hemos desarrollado capacidad para la no violencia pura.

Existe un prejuicio natural contra el ayuno (huelga de hambre) como parte de la lucha política. El político común la considera como una interpolación vulgar, aunque siempre ha sido un recurso de los prisioneros. Mis propios ayunos estuvieron siempre estrictamente de acuerdo con el programa de la *sathyagraha*; bajo ciertas circunstancias, su "arsenal" representa el arma más grande y más efectiva. No cualquiera está calificado para emprenderlo sin un curso preparatorio adecuado.

El ayuno no puede ser emprendido mecánicamente. Es algo poderoso, pero se vuelve peligroso si se maneja incompetentemente. Requiere una purificación completa de sí mismo, mucho mayor de la que hace falta cuando se enfrenta la muerte, aunque el impulso de represalia sea mental.

La *ahimsa* es siempre infalible. Por lo tanto, cuando parece haber fallado, la falla se debe a la ineptitud del devoto.

Nuestra no violencia continúa siendo todavía un asunto confuso. Sin embargo, ahí está y sigue funcionando como un fermento, de manera invisible y silenciosa, poco entendida por la mayoría. Pero es la única manera.

Diariamente pagamos un precio muy elevado por el error inconsciente que hemos cometido al confundir la resistencia pasiva con la no violencia.

En este mundo no se ha hecho nunca nada que no se deba a la acción. Rechazo la expresión "resistencia pasiva" porque no traduce por completo la realidad y podría verse en ella el arma de los débiles.

Puede asegurarse que un conflicto fue solucionado según los principios de la no violencia si no deja ningún rencor entre los enemigos y los convierte en amigos. Pude experimentarlo en Sudáfrica, con el general Smuts. Enemigo irreductible al comienzo, actualmente es mi amigo más cordial.

Si soy un verdadero maestro de la *ahimsa*, estoy seguro de que pronto dejarás a tu maestro. Si eso no sucede, sólo significará que soy un maestro incompetente. Pero si mi enseñanza fructifica, habrá maestros de la *ahimsa* en cada hogar.

En la no violencia pueden existir vetas de violencia. El esfuerzo constante del devoto hacia la no violencia, consiste en purgarse del odio por el así llamado "enemigo". Eso de disparar un arma por amor, no existe.

Para un creyente en la *ahimsa* resulta permisible, y hasta constituye un deber, distinguir entre el agresor y el defensor. Habiéndolo hecho así, se alineará con el defensor de un modo no violento, o sea, dará su vida para salvarlo.

La ley de la *sathyagraha* requiere que un hombre, sin armas y sin ningún otro recurso para encontrar una solución, cumpla el sacrificio supremo inmolando su propio cuerpo.

No soy otra cosa que un humilde explorador de esa ciencia que se llama no violencia. Sus profundidades insondables no dejan de llenarme de confusión y de maravilla, igual que a mis demás compañeros de investigación.

Mi fe en la no violencia me da mucha fortaleza para obrar. Hay que rechazar por completo toda cobardía y hasta la más pequeña debilidad. No es posible esperar que un cobarde se convierta en no violento, pero sí cabe esperar esto de un violento. Por eso, nunca lo repetiré bastante: si no sabemos defender por nosotros mismos a nuestras esposas y nuestros templos, recurriendo a la fuerza que brota de la renuncia; o sea, si no somos capaces de no violencia, debemos por lo menos, si somos hombres, atrevernos a emprender la lucha para defendernos.

Quien no puede protegerse a sí mismo ni proteger a sus seres más cercanos y más queridos, o su honor, enfrentando la muerte mediante la no violencia, debe y tiene que hacerlo encarándose violentamente con el opresor. Quien no puede hacer una de ambas cosas, resulta una carga.

En un punto secreto de mi corazón, estoy en perpetua polémica con Dios porque permite que prosigan cosas como la guerra. Mi no violencia parece casi impotente. Pero al final de la discusión cotidiana viene la respuesta: ni Dios ni la no violencia son impotentes. La impotencia está en los hombres. Debo seguir intentándolo sin perder la fe, aunque me destroce en el intento.

La violencia de los motines populares no significa que la no violencia haya fallado. Lo mejor que podría decirse es: no encontré todavía la técnica requerida para la conversión de la mente masiva.

No tengo deseos de vivir, si la India se sumerge en un diluvio de violencia, como amenaza hacerlo. Estoy en medio de las llamas. Que el fuego no me consuma, ¿es la bondad de Dios o es su ironía ?

Si no tengo nada que ver con la violencia organizada que promueve el gobierno, tampoco tengo nada que ver con la violencia desorganizada del pueblo. Antes que verme en la necesidad de elegir entre las dos, preferiría más verme aplastado por alguna de ellas.

Mi fe es tan poderosa como siempre lo fue. Es bastante posible que mi técnica tenga fallas... A mis consejeros puedo decirles que deberían tener paciencia conmigo hasta que compartan mi creencia de que no hay esperanza para el doliente mundo, salvo a través de la angosta y recta senda de la no violencia. Millones como yo podrían fallar en probar la verdad en sus propias vidas; ese sería apenas su fracaso, jamás el de la ley eterna.

Cuando la práctica de la *ahimsa* se vuelva universal, Dios reinará en la Tierra así como lo hace en los Cielos.

La no violencia es mi credo. Jamás lo fue del Congreso hindú. Para el Congreso fue siempre una política.

La no violencia no es una pantalla para la cobardía sino que es la virtud suprema del valiente... La cobardía es enteramente incompatible con la no violencia... La no violencia presupone la capacidad de golpear.

La *ahimsa* es un atributo de los bravos. La cobardía y la *ahimsa* no van juntos mucho más de lo que van el agua y el fuego.

Permitir que, en nombre de la *ahimsa,* los cultivos sean comidos por los animales, mientras existe una hambruna, es por cierto un pecado.

En la *sathyagraha* la causa tiene que ser tan justa y clara como los medios.

Si la gente no está preparada para ejercitar la no violencia de los valientes, debe estar preparada para el uso de la fuerza como autodefensa. No tiene que haber disimulo alguno... Jamás debe ser secreta.

Tal vez sea un error describir mi actual estado mental como depresión. No soy lo suficientemente vano como para pensar que el propósito divino sólo puede realizarse a través de mí. Podría ser que haga falta un instrumento más eficaz para llevarlo a cabo o que yo no sea lo suficientemente bueno para representar a una nación débil o a una fuerte. ¿No será que para el propósito final hará falta un hombre más puro, más corajudo, más visionario? Esto es pura especulación. Nadie tiene la capacidad de juzgar a Dios. Somos gotas en ese ilimitado océano de misericordia.

La no violencia es la ley de nuestra especie, por la misma razón que la violencia es la ley de los brutos. En el hombre brutal todavía no se ha despertado el espíritu: no conoce más ley que la fuerza física. La dignidad humana exige que el hombre se refiera a una ley superior que haga vibrar la fuerza del espíritu.

No se puede ser genuinamente no violento y permanecer pasivo ante las injusticias sociales.

Tengo la firme certeza de que la ética constituye la base de todo y tiene como sustancia la verdad. Por otra parte, asumí la verdad como mi único objetivo. Día tras día aumentaba su importancia ante mis ojos, mientras le otorgaba a esa palabra un significado cada vez más profundo.

Resulta imposible identificarse con todo lo viviente, sin una purificación personal. Si uno no se purifica, es inútil y quimérico observar la *ahimsa*. Si uno no es puro de corazón, nunca podrá realizar a Dios. Dicha purificación debe ejercerse en todos los planos. Entonces, gracias a su virtud eminentemente contagiosa, conduce a una purificación de todo lo que nos rodea.

En el diccionario de la **sathyagraha**, la palabra "enemigo" no existe.

Considero que la no violencia no tiene nada de pasivo. Todo lo contrario: es la potencialidad más activa del mundo... Es la ley suprema. En los términos de la no violencia, nunca encontré alguna situación que me haya desconcertado por completo. En algún momento, siempre se presentó el remedio.

No me propongo solamente liberar a la India del yugo inglés. Estoy empecinado en liberarla de todas las formas de esclavitud que pesan sobre ella. No tengo deseo especial alguno de cambiar un rey inútil por un rey que nos explote. Por eso he creado el movimiento de *swaraj* (autonomía), en el que a cada uno se le exige que se purifique interiormente.

La genuina moralidad consiste, no ya en seguir caminos trillados sino en encontrar por nosotros mismos el verdadero camino que nos conviene, y en seguirlo de modo intrépido.

No he tenido ninguna revelación especial de la voluntad de Dios. Estoy íntimamente persuadido de que todos los días se nos revela, pero bloqueamos los oídos para no escuchar esa *vocecita calma*; cerramos los ojos para no ver ante nosotros esa *columna de fuego*.

Los profetas y los avatares predicaron igualmente, más o menos, el valor de la *ahimsa*. Ninguno de ellos fue pregonero de la violencia... ¿Cómo podría ser de otra manera? La violencia no es de esas cosas que requieren enseñanza. En cuanto animal, el hombre es violento; pero en cuanto espíritu, es no violento. Apenas empieza a despertar a las exigencias de ese espíritu que habita en él, le resulta imposible continuar siendo violento: o bien evoluciona en el sentido de la *ahimsa*, o camina hacia su destrucción. Por eso, los profetas y los avatares exaltaron los méritos de la verdad, de la armonía, de la fraternidad, de la justicia y de otros muchos atributos de la *ahimsa*.

La luz que hay en mí brilla con todo su esplendor, sin desfallecer jamás. No hay ninguna salida posible fuera de la verdad y de la no violencia. Sé que la guerra es un mal, un crimen que no admite excusas. Sé igualmente que debe ponerse todo el empeño en que no reaparezca este azote de la humanidad. Estoy convencido de que una libertad obtenida por medios poco honrados o gracias a la sangre de los demás, no es libertad... Ni la falta de la verdad ni la violencia, sino únicamente la no violencia y la verdad pueden responder a la ley de nuestro ser.

Me siento ligado a la India con todo mi ser. Se lo debo todo. Pero estoy convencido de que tiene una misión que cumplir. No debe imitar a Europa de una manera ciega. Si un día la India se colocara deliberadamente entre los violentos, ese día comenzaría mi calvario. Mi religión no conoce fronteras geográficas; está por encima del amor que siento por la India. Si mi vida está consagrada al servicio de la India es porque esta exigencia deriva de la religión de la no violencia, que está en la fuente del hinduismo.

La verdadera moral es inseparable de la auténtica religión. Esta es a aquella, lo que el agua a la semilla oculta en la tierra.